Inès Cagnati

Génie la folle

Denoël

Marie, la petite bâtarde, parle de sa mère.

Sa mère, c'est Génie la folle, cette fille de bonne famille, qui, rejetée par sa mère, s'est faite domestique agricole. On ne rétribue pas le travail de Génie la folle. Quelques légumes, quelques fruits, des vieilleries, c'est bien assez pour elle. Elle, elle oppose à tous et à tout un silence terrible, à la méchanceté, à la ladrerie, à l'indifférence.

La petite Marie aime sa mère d'un amour passionné et pathétique. Le jour, elle la cherche dans les chemins et dans les champs. Le soir, elle l'attend sans fin, tapie sous les haies près de leur vieille maison. La nuit, elle rêve de l'emmener loin, là où de nouveau elle pourra rire.

Par bonheur, l'extraordinaire amour-obsession, qui lance la fillette dans une sorte de course-poursuite derrière sa mère silencieuse, ne l'empêche pas de s'épanouir. Les rapports qu'elle noue avec son grand-père, avec Pierre, avec sa vachette, avec un canard, sont décrits avec une puissance émotionnelle peut-être sans équivalent en littérature. Et si la mécanique du malheur est impitoyable pour Génie la folle, il demeure que Marie, qui n'est jamais épargnée non plus, aura appris à tout transformer en amour.

C'est un tableau non seulement intense, fort et poignant, mais d'une beauté presque terrifiante qui consacre le talent de l'auteur du Jour de congé.

Inès Cagnati a passé son enfance et son adolescence dans un milieu paysan italien du Sud-Ouest. Elle a fait des études de lettres. Son premier livre, *Jour de congé*, a obtenu le Prix Roger Nimier en 1973 et *Génie la folle* le Prix des Deux-Magots et le Prix Fiction en 1977.

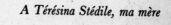

A Térésina Stédile, ma mère

On l'appelait Génie la folle.

Elle traversait parfois le village de son pas hâtif avec, au bras, son panier en bois contenant toujours le sac de jute qui lui servait de capuchon en cas de pluie. Moi, je courais derrière elle de toutes mes petites jambes. Si elle disparaissait au coin d'une rue ou derrière une voiture ou derrière un groupe des femmes bavardes du matin qui faisaient leurs courses ou qui, au pas des portes, recueillaient l'eau des rigoles pour arroser leurs fleurs et laver leur trottoir, la peur me venait qu'elle en profite pour me laisser là, toute seule dans cette rue pleine de maisons inconnues, de visages inconnus. Je n'aurais pas su même retrouver la vieille maison du côté des saules de la rivière. Aussi, je courais de toute la vitesse de mes petites jambes, le cœur fou, pour la rattraper. Parfois, elle s'arrêtait un instant. Je ralentissais pour me reposer un peu, rayonnante vers elle qui m'attendait. Elle repartait toujours avant que j'aie pu la rejoindre. De nouveau je courais en fixant son dos.

Lorsque ainsi elle traversait le village, et c'était rare car, le plus souvent, pour se rendre dans les fermes, elle le contournait par des chemins de traverse ou en coupant par les champs, les gens se taisaient pour la regarder arriver, passer, s'éloigner. On ne riait pas. On ne la saluait pas de plaisanteries. Elle allait, le regard loin, moi courant derrière elle et on la regardait.

Si on avait à lui parler, on disait :
— Génie la folle.
jamais :
— Eugénie.
ni :
— Madame.
toujours :
— Génie la folle.

Elle allait dans les fermes aider aux travaux. En hiver, elle coupait les haies ou les bois, faisait les fagots. Le jeudi, j'allais avec elle. Je ramassais les petites branches, je les mettais dans les tas. On était seules. A midi, elle faisait un petit feu.

Je me souviens des bois d'hiver, du feu, du froid, d'elle et moi dans les bois froids.

Au printemps, elle bêchait les vignes, les champs de petits pois, de fèves. Je me souviens des tulipes sauvages jaunes ou rouges dans les vignes. Je les cueillais, lui en faisais des bouquets jaunes et rouges qui flétrissaient au bout des rangs. Je ramassais aussi la mâche et les poireaux sauvages, et le soir on les mangeait.

Elle cueillait les petits pois ou les fèves. Elle rapportait ceux qu'on lui donnait dans son panier. On en mangeait. Avec ce qui restait, elle faisait des conserves.

Venait la saison des foins. La campagne embaumait. Elle rentrait, les cheveux couverts de poussière et de brins de foin. Il y avait le sarclage du maïs, les moissons, les haricots verts, les tomates, la récolte des fruits et on mangeait des fruits, on faisait des confitures et encore des conserves. Aux vendanges, elle revenait avec une odeur sucrée et poisseuse, et, ensuite, on lui donnait du vin jeune qui faisait un peu tourner la tête.

Elle allait faire les repas de baptême, de communion, de noce. Parfois, elle m'emmenait avec elle. Je restais dans les cuisines humides à la regarder. Elle me disait toujours :

— Ne reste pas dans mes jambes.

Je sortais un moment. J'errais petitement autour des maisons inconnues. Ensuite je revenais vers elle. De nouveau elle disait :

— Ne traîne pas dans mes jambes.

Je sortais. Je restais assise contre un mur ou sous une haie à guetter son passage devant la porte. Je me souviens des odeurs, du soleil contre les murs, d'elle dans les cuisines sombres, des tournesols qui tournaient dans les champs.

En été, elle marchait pieds nus. Ses talons s'étaient recouverts de corne épaisse et insensible. En hiver, elle portait des bottes de caoutchouc noir. Elle les bourrait de paille. La paille se collait sous ses pieds, formait une plaque dure et humide qui gardait la forme du pied lorsqu'elle la changeait, le soir. La corne de ses talons éclatait en crevasses sanguinolentes.

Chaque soir, avant de se coucher, elle baignait ses pieds dans une bassine d'eau tiède, enlevait, avec une allumette taillée en pointe ou un petit bout de bois, les débris sales logés dans ses crevasses. Je restais assise sous la cheminée à la regarder et à attendre. Elle disait :

— Va au lit.

Je me couchais. Elle venait au lit. Quelquefois, elle me prenait contre elle. D'autres fois, elle s'endormait aussitôt, très loin au fond de sa fatigue.

A l'époque où j'étais très petite, elle m'emmenait avec elle chaque jour dans les fermes où elle travaillait. Dans le panier, elle emportait le sac de jute qu'elle disposait par terre au bord des champs pour que je m'y assoie. Elle travaillait. Je jouais un peu avec la terre, avec les racines de chiendent, avec les herbes. Je la surveillais. J'avais peur qu'elle ne s'en aille et ne me laisse là, toute seule au bord de ce champ inconnu.

Certains jours, la brume montait de la rivière, noyait les saules tristes, ensevelissait le monde. Le jour ne se levait jamais. Je la distinguais comme une ombre de plus en plus pâle à mesure que le travail l'éloignait de moi. Quand elle était près de disparaître dans ce lait de brume, je courais vers elle dans le champ. Parfois, je m'arrêtais dès que je la voyais de nouveau, j'avançais peu à peu pour la voir toujours. D'autres fois, j'allais jusqu'à elle, je m'accrochais à sa jupe pour qu'elle me prenne un peu. Elle disait :

— Va t'asseoir sur le sac.

Je retournais au bord du champ le plus lentement possible pour faire durer le temps où je la voyais encore. Je m'asseyais sur le sac. Elle était perdue au fond de la brume. Je restais là à regarder vers elle, à guetter le moment où elle reparaîtrait. Le temps s'allongeait. De nouveau je croyais qu'elle était partie en me laissant là parce qu'elle ne me voulait pas.

Je me levais, le cœur fou, je courais vers elle de toutes mes petites jambes, je tombais, je me relevais, je courais. Je l'apercevais enfin. Je m'asseyais dans la terre humide. J'aurais voulu aller vers elle, lui dire comme j'étais heureuse qu'elle soit encore là.

A midi, si la ferme n'était pas trop éloignée, on allait y manger. On était à table dans des cuisines sombres et humides. Les gens parlaient, elle se taisait. Quelquefois les femmes ou les enfants me regardaient, me demandaient des choses comme mon nom ou mon âge. Je ne répondais pas, je m'accrochais à elle, mettais mon visage dans sa jupe. Les femmes disaient, vers moi :

— Le chat t'a mangé la langue.

et entre elles :

— Elle est comme elle.

Moi, je m'accrochais davantage à elle pour qu'elle me prenne. Elle m'éloignait un peu et disait :

— Reste tranquille.

Si la ferme était trop éloignée, on mangeait dans le champ. Elle ôtait ses bottes, s'asseyait sur un coin du sac et on mangeait le pain et le fromage ou le pain et le saucisson ou le pain et l'omelette, quelquefois le pain et les fruits séchés de l'automne. On buvait à la régalade, elle le vin et l'eau, moi le lait et l'eau. Lorsqu'on avait fini, elle rangeait les affaires dans le panier.

Avant de reprendre le travail, elle restait un moment là, près de moi, les yeux loin, à se reposer un peu ou à penser à des choses à elle. J'aurais voulu me mettre contre elle. Elle se levait, remettait ses bottes, partait en disant :

— Dors un peu.

Je me couchais sur le sac et je m'efforçais de dormir comme elle l'avait dit. Mais dès que j'avais les yeux fermés, je m'imaginais qu'elle en profiterait pour fuir ou bien qu'elle partirait simplement en m'oubliant là. Je me relevais et de nouveau je guettais son ombre dans la brume.

Quand venait la nuit, elle se redressait enfin, considérait le travail fait dans la journée, regardait

loin vers des choses absentes puis venait vers moi.
Je me dressais. Elle secouait la terre ou les vieilles
herbes fripées du sac, le pliait et le mettait dans le
panier. S'il restait du pain de midi, elle m'en
donnait. Elle se mettait à marcher vite, et, moi, je
courais derrière elle pour ne pas la perdre. Elle
finissait par prendre beaucoup d'avance. Mon cœur
faisait le fou. Elle s'arrêtait enfin, attendait un peu.
Dès que j'étais proche d'elle, elle se remettait en
marche.

Il arrivait aussi qu'elle se baisse vers moi, essuie
mon visage et m'emporte dans ses bras. Alors, je
mettais ma tête dans la chaleur de son cou et je
pleurais. Elle disait parfois :

— Ne pleure pas.

Le plus souvent, elle ne disait rien.

Souvent elle pleurait, le soir, devant le feu. Ses yeux avaient pris la couleur des larmes. Elle disait :

— Et moi, je n'ai rien eu.

Je disais :

— Moi, tu m'as.

Mais elle continuait de pleurer. Alors, je croyais qu'elle ne me voulait pas. Je voulais l'aimer à chaque minute de ma vie pour qu'elle me veuille, je la suivais partout. Elle disait :

— Ne reste pas dans mes jambes.

Mais moi, je voulais l'aimer, rester toujours près d'elle.

En rentrant de l'école, je courais tout au long des chemins de traverse, dans la boue, dans les griffes des ronciers, dans l'appel rose des cognassiers. Je rebondissais dans les fondrières. Quelquefois je la trouvais à la maison à laver ou à repasser. J'allais

vers elle, transportée. Un moment elle me laissait
être près d'elle et puis elle disait :

— Ne reste pas dans mes jambes.

Quelquefois, elle n'était pas encore revenue des
fermes. Je restais debout au bord du chemin et
j'attendais, guettant les ombres du soir, qu'elle
arrive. Je me souviens du chemin vide dont je
scrutais les ombres.

Le repas du soir se composait parfois de beignets,
aux pommes en hiver, aux fleurs d'acacia au
printemps, aux fleurs de citrouille en été. Je m'asseyais sous la cheminée, je regardais le feu trop vif,
je mangeais les beignets brûlants. J'avais la bouche
et les doigts pleins de sucre et huileux. La maison
était chaude et parfumée.

Après le dîner, en hiver, elle tricotait. La nuit
serrait la vieille maison. Je pensais :

— Elle est là.

pour que la nuit recule.

De temps à autre, elle racontait une histoire. Elle
disait toujours la même, celle des trois jeunes filles,
Rose, Marguerite, et Violette. Les flammes se
hérissaient. L'ogre dévorerait-il la douce Violette ?
Viendrait un soir où l'ogre dévorerait la belle jeune
fille. Cela dépendait d'elle. Je guettais son visage
penché sur le tricot. Sa voix monocorde ordonnait
les événements de cette histoire jamais finie. Lors-

qu'elle cessait de parler, elle posait le tricot. Elle caressait parfois ma joue. Ses yeux clairs, alors, apaisaient les fantômes.

D'autres soirs, elle se taisait. Quand j'ai été assez grande, je disais, pour qu'elle n'ait plus de chagrin :

— Un jour, on s'en ira, loin, dans des pays où les vignes touchent le ciel, où l'on s'égare dans des forêts d'acacias à la poursuite des cyclamens sauvages.

Elle ne répondait jamais. Je savais qu'il n'y aurait pas de pays où les vignes poussent jusqu'au ciel, où l'on se perd au bord des ruisseaux à la recherche des cyclamens sauvages. Je voulais seulement la consoler. Quand on est petit, on ne sait pas.

J'ai rencontré Pierre, une nuit, à la gare. Il est
venu à moi et il a dit :

— Je suis Pierre.

et moi :

— Je suis Marie.

C'était bien plus tard, après les choses insupportables arrivées et avant d'autres choses à venir, une
nuit de décembre avant Noël. Le lycée était loin, et
moi j'allais vers elle qui était dans la maison
d'Antoine. Le train s'était arrêté dans la campagne.
A la gare, dans la nuit, tous les cars, tous les trains
étaient partis. Je suis restée dans la salle d'attente
avec l'odeur des mégots écrasés, des vieilles
attentes.

Le chef de gare est venu et a dit :

— Il faut partir. Le dernier train va passer.
Après, je dois fermer la gare.

Moi, j'ai dit :

— Je ne sais pas où aller. Tous les cars sont partis.

Il a dit de nouveau :

— Il faut partir.

Le dernier train est passé. Les voyageurs dispersés, il y a eu Pierre. Le chef de gare est venu et a dit à Pierre :

— Il faut partir. Je dois fermer la gare.

et Pierre a dit :

— Je me suis endormi dans le train. Je dois attendre le train de demain pour retourner en arrière.

A la fin, le chef de gare nous a enfermés dans la gare. Après longtemps de silence, et, moi, je regardais les tilleuls nus de la petite place, cependant que Pierre regardait les rails vides, il est venu à moi et a dit :

— Je suis Pierre.

et moi :

— Je suis Marie.

Quand j'étais petite, au printemps, j'allais souvent chez ma grand-mère m'asseoir sous le grand paulownia, devant la maison. Je me couchais et je regardais les grappes mauves de l'arbre se balancer dans le ciel. C'était l'heure de la sieste et la grand-mère somnolait au fond de la pénombre, dans son grand fauteuil entre la cheminée et l'armoire.

Ma grand-mère ne m'aimait pas. Cependant, j'allais chez elle les jours de printemps, à l'heure chaude de la sieste, pour me coucher sous le grand paulownia en fleur et regarder ses grappes douces dans le bleu du ciel.

Quelquefois, ma grand-mère était sous l'arbre et lavait de grands mouchoirs à carreaux, lentement, longtemps.

Je m'en allais. Ou bien j'allais voir le vieux figuier, entre la grange et la maison. J'y grimpais et je restais longtemps immobile, cependant que ma grand-mère lavait les grands mouchoirs à carreaux sous les grappes mauves du paulownia.

D'autres fois, j'entrais dans la maison.

Mon grand-père feuilletait éternellement ses livres, sur la petite table près de la fenêtre. Je m'approchais et j'attendais. Puis, parce que mon grand-père ne me voyait pas, je tirais sa manche vide. Je disais :

— Grand-père.

Il levait la tête, me regardait, me reconnaissait, disait :

— Marie. Petite.

De sa main unique, il fouillait la musette qu'il avait toujours en bandoulière du côté de son bras absent. Il en tirait des noix, des noisettes ou une pomme, les mettait dans ma main en coquille et disait :

— Mange, petite.

Il se détournait et de nouveau s'éloignait dans les livres des vieux rois morts, aux pays d'autrefois. Je sortais. J'allais derrière la maison de ma grand-mère, près du gros chêne où pendait la balançoire des cousins. Je cassais les noix ou les noisettes sur la margelle du puits. Je jetais les coquilles mortes dans le puits.

Je restais un moment à regarder la vallée, la

rivière à son creux, d'abord entre les peupliers dressés comme des gardiens d'eaux, puis entre les saules. Je regardais la colline blanche de sable de renard. J'essayais de voir la maison entre la colline et les saules, et elle, peut-être. Je dévalais les prés vers la maison et vers elle. Si elle était là, elle disait :

— Je ne veux pas que tu ailles là-haut.

Je restais à traîner autour d'elle dans l'espoir qu'elle me regarde. Elle finissait toujours par dire :

— Ne reste pas dans mes jambes.

Un moment, je m'éloignais puis je revenais. Je voulais être près d'elle. Elle disait encore :

— Ne reste pas toujours dans mes jambes.

Quelquefois, on lui donnait des vêtements, trop vieux ou trop petits, ou dont on ne voulait plus. Quand ils étaient très usagés, et c'était souvent, elle en faisait des chiffons qu'elle utilisait en hiver pour s'agenouiller et gaver les oies ou les canards dans les fermes. Elle gardait les meilleurs morceaux pour rapiécer ses robes ou ses blouses. Elle taillait des vêtements pour moi dans d'anciennes robes ou jupes et le soir, devant le feu, elle tirait la lampe et la suspendait sous le manteau de la cheminée pour bien y voir et elle cousait sans fin. Je la regardais, couchée dans le lit. Je ne voulais pas dormir avant qu'elle ne soit au lit avec moi. J'avais peur que, soudain, elle pose sur la table son ouvrage et s'en aille m'oubliant là, seule dans la vieille maison serrée dans les saules fous qui parlent la nuit. J'essayais de ne pas bouger. Si je bougeais, elle disait :

— Dors.

sans tourner la tête.

Lorsque les vêtements qu'on lui donnait étaient à ma taille et en bon état, je les portais tels quels. Je savais qui les avait mis. Il me semblait devenir les autres. Ces jours-là, à l'école, je ne parlais pas. Lorsque je passais ainsi déguisée devant les maisons du village, les femmes, qui bavardaient assises sur les bancs verts entre les pots de géranium ou de bégonias, disaient, sans baisser la voix :

— Heureusement, tout le monde est généreux pour elles.

Elles semblaient contentes.

Quelquefois, aussi, aux temps où j'étais très petite, elle me faisait une poupée avec ces chiffons. La tête et le corps étaient bourrés de déchets de tissu, les bras et les jambes de bouts de bois. La poupée n'avait ni cheveux ni traits. Je l'emportais partout avec moi. Très vite, elle se déchirait parce que c'était vraiment de vieux tissus usés. Il fallait attendre longtemps avant qu'elle m'en fasse une autre.

Elle rapportait des fermes des paniers de fruits. Elle mettait les pommes et les raisins au grenier, les pommes sur un lit de paille ou sur des claies, les raisins sur des fils de fer accrochés aux poutres. Les pommes parfumaient la maison des mois durant. Certains fruits séchaient au soleil, sur des claies posées sur le toit, les prunes entières, les pêches et les abricots ouverts et dénoyautés. Les abeilles grésillaient autour des claies dans l'odeur de sucre. Les fruits se recroquevillaient, brunissaient, durcissaient, et les abeilles s'éloignaient.

Avec les autres fruits, elle faisait des confitures, de prunes, de poires, de melons, de coings, de tomates vertes, quelquefois de raisins. Les jours d'automne étaient parfumés par les pommes, par l'odeur de fruits et de sucre caramélisés. Quand la confiture était mise dans les pots de verre, je grattais au fond et sur les bords du chaudron la confiture un peu brûlée qui y restait. Le lendemain, elle recouvrait les pots avec du papier sulfurisé très blanc et crissant, attaché avec des laines. Tous les pots étaient ensuite ordonnés dans la grande armoire.

Une odeur sucrée et lourde errait tout l'automne dans les coins de la maison. En hiver, lorsque depuis longtemps elle était morte, on mangeait les confitures.

En automne, on allait dans les fermes aider à l'effeuillage du maïs. On partait après le souper. On marchait dans les chemins pleins de nuit, elle devant avec le falot qui la faisait ombre démesurée, moi derrière collée à son ombre et courant de toutes mes forces de peur de la perdre et de rester seule dans la nuit. Si je butais contre elle, elle disait sans se retourner :

— Ne marche pas sur mes talons.

On arrivait enfin à la ferme. Il y avait toujours beaucoup de gens, beaucoup de bruits joyeux comme pour une fête. On s'installait dans les remises, au bord ou sur les tas de maïs, avec des caisses. On effeuillait les épis, on jetait les épis nus dans des caisses que les hommes vidaient au grenier ou dans les séchoirs.

Je m'asseyais tout contre elle. Les gens parlaient,

riaient, chantaient, parfois. Elle, cependant, travaillait en silence et moi je surveillais ses gestes, tout en jouant avec les vieilles barbes de maïs. Il arrivait que je m'endorme. Je me réveillais avec des sursauts d'épouvante, je m'accrochais à elle. Les gens riaient. Elle disait :

— Laisse-moi travailler.

Quand les tas de maïs étaient épuisés, on mangeait. On mangeait des châtaignes bouillies, du gâteau de citrouille, de la confiture. On buvait le vin rouge nouveau. En partant, on lui donnait parfois un panier de maïs.

De nouveau, c'étaient les chemins, elle devant, moi derrière, courant dans la boue.

A la maison, elle ôtait ses bottes de caoutchouc, en retirait la paille humide qu'elle jetait dans la cheminée et les laissait béantes pour qu'elles sèchent. Je restais à la regarder. Elle disait :

— Couche-toi.

de sa voix fatiguée. Elle se déshabillait et se couchait aussi. Elle sentait la paille et la sueur chaude. Quelquefois, elle me prenait un instant contre elle et disait :

— Tu es petite.

et aussitôt j'avais envie de pleurer.

Le chef de gare était parti, les grosses portes, aux vitres protégées de fer en motifs arrondis, fermées, les lumières éteintes. Restaient les réverbères de la petite place dont la lumière floue pénétrait dans la gare.

J'étais assise sur mon sac, dans l'angle d'un mur et d'un appareil à sous. Pierre marchait dans la lumière vague. Il s'arrêtait parfois face à la place aux réverbères solitaires sous les tilleuls ébranchés en rond. Parfois, un train traversait le silence, se perdait loin, du côté des bois de peupliers et des saules bavards des rivières. Longtemps Pierre a marché dans le froid et l'abandon aux nuits.

Puis il s'est arrêté devant moi et a dit :

— Il ne faut pas dormir. Il fait trop froid.

Je me suis levée et j'ai marché aussi, de porte en porte, les portes tournées vers les quais, les portes de la consigne, les portes regardant la petite place aux réverbères sous les tilleuls, la porte de la boutique aux journaux. Je marchais, les jambes raides. Je pensais :

— Toutes les portes sont vitrées.

et rien d'autre. Il faisait si froid et tous les trains étaient déjà passés.

A la fin, je me suis de nouveau assise sur mon sac. Je regardais les papiers de bonbon froissés sur le carrelage, les mégots écrasés, les chewing-gums collés et noircis, les traces sales des pas du jour.

Pierre est venu encore et a dit :

— Il faut marcher.

Il a attendu. Je me suis levée. Il a dit :

— On va marcher et parler jusqu'au matin pour ne pas dormir. On parlera une demi-heure chacun.

Il a commencé à parler.

Là-bas, loin, il y avait des îles bleues, des îles parfumées de sable, de mer et de soleil. Sa voix traversait les déserts d'eaux salées au soleil, les déserts de nuits froides, posait près de moi les îles parfumées de frangipaniers, les oiseaux rouges autour des fleurs rouges, les grottes où la mer s'enfonce et se perd. Elle apportait les nuits tièdes, douces comme la soie, où volent les lucioles amoureuses.

Il disait :

— Un jour, peut-être, je vous mènerai aux îles douces où je suis né.

Je ne répondais rien. Il y avait eu déjà, loin des îles douces, elle, qu'on appelait Génie la folle, l'abbé tout seul sur sa chaise, le maçon guettant dans les chemins. Pierre disait :

— Il faut le croire. Les choses arrivent si on y croit. Les îles parfumées de bleu sont là si on y croit.

A la fin de la nuit, le chef de gare est revenu, les balayeurs. Avant de repartir, Pierre est encore venu vers moi et a dit :

— J'irai vous prendre à La Rochelle.
et ensuite :
— Je suis Pierre.
et moi :
— Je suis Marie.

J'ai attendu l'heure du car, avec les balayeurs, les seaux d'eau, les serpillières. Pierre emportait la douceur des aubes rouges sur les collines où le vent chante dans les filaos. Je pensais :

— Pour toujours.

C'était un petit matin de crépuscule dans une gare envahie par les balayeurs. Le chef de gare est venu et a dit :

— Il faut aller boire un café chaud, petite.

J'ai dit :

— Oui.

mais je suis restée là. Je n'avais pas d'argent pour le
café. Au bout d'un moment, le chef de gare est
revenu. Il m'a donné de l'argent :

— Pour le café et les croissants.

Je me suis assise dans un coin du café. J'ai bu le
café au lait très chaud et mangé les croissants. Et
puis, j'ai pleuré. Des trains passaient, de temps à
autre, s'arrêtaient parfois en grinçant, repartaient
bientôt.

A la fin, je me suis arrêtée de pleurer et je suis
sortie. Je me souviens de tout ce froid. Dans le car,
j'ai pensé à elle qu'on appelait Génie la folle. Je me
suis demandé si on l'appelait encore Génie la folle
maintenant qu'Antoine l'avait emmenée chez lui.

Il y avait quelque part des jardins d'orangers
sauvages autour de blanches demeures calmes, le
vent de la mer dans les palmiers, Pierre qui était
parti emportant loin le parfum bleuté des îles.

En hiver, c'était la fête des cochons. Chaque ferme tuait un ou plusieurs cochons, selon son importance. Elle allait aider presque tous les jours. On partait dans la nuit des petits matins avec nos bottes de caoutchouc fourrées de paille, elle devant avec le falot qui se balançait au rythme de ses pas. Je m'efforçais de mettre mes pieds où elle avait mis les siens et cela m'obligeait à faire de grands pas pénibles. Parfois mes bottes trop grandes collaient à la boue. J'arrachais mon pied de la botte, la botte à la boue, je la remettais. J'essayais de la rattraper. Elle allait loin devant avec la lampe, et moi j'étais dans le noir à patauger.

Quelquefois, elle s'arrêtait un peu pour m'attendre. Elle se tournait vers moi, levait le falot pour m'éclairer, disait :

— Dépêche-toi.

et moi je courais aussi vite que la boue le permettait et j'étais pleine de larmes. Quand je l'avais presque rejointe, elle repartait.

On arrivait enfin à la ferme où l'on tuait le cochon. Elle aidait d'abord à traire les vaches, à faire le feu sous la grande lessiveuse d'eau installée sous le hangar, à attacher les pattes du cochon, à le suspendre au palan tête en bas. Elle tenait le seau sous la tête pendant que le tueur le saignait, pour recueillir le sang. Le cochon hurlait. S'il tardait à mourir et criait longtemps, l'homme l'injuriait :

— Le salaud. Il ne veut pas mourir.

et il fouillait la plaie avec son couteau. Elle ne disait rien, tenait le seau. Moi, je regardais. Quelquefois, si elle s'apercevait de ma présence, elle disait :

— Va-t'en d'ici.

mais moi je voulais rester près d'elle.

Je me souviens de ces petits matins boueux, d'elle qui tenait le seau où coulait du sang mousseux, des rigoles de boue ensanglantée, de l'homme qui injuriait le cochon hurlant qui ne voulait pas mourir encore.

Toute la journée, elle travaillait. Elle ébouillantait le cochon à grand coup de seaux d'eau, elle aidait à racler la peau pour en ôter les soies. Elle hachait la viande et le lard pour le pâté, les saucisses, le saucisson, le boudin, elle salait, et

40

roulait les ventrèches, salait les os du petit salé qu'on laissait dans un baquet et dont on ferait des soupes aux choux ou aux haricots, plus tard. Elle lavait les boyaux pour y mettre saucisses, saucissons et boudins. Elle s'activait sans relâche, en silence, et les gens, contents, parlaient et riaient. Moi, je restais près d'elle toujours, attentive à ne pas gêner ses mouvements pour qu'elle ne s'aperçoive pas de ma présence, à l'aider si je pouvais. Parfois, elle disait cependant :

— Ne reste pas toujours dans mes jambes.

Je m'éloignais un peu puis je revenais.

A l'heure du facteur, on me disait d'aller le guetter pour l'inviter au repas de midi. A midi, le facteur venait. Tout le monde mangeait du porc au tournebroche, ou du porc aux olives, en parlant très fort.

A la fin de l'après-midi, on lui demandait d'aller nettoyer l'étable. Je restais debout près de la porte de la grange et je la regardais jeter, par une petite fenêtre, sur le tas de fumier, les bouses de vache, la paille détrempée de purin, répandre à leur place une litière de paille propre et dorée qui sentait encore un peu les champs de l'été. Elle coupait des betteraves et les distribuait aux bêtes avec le foin poussiéreux.

J'attendais. Si elle disparaissait derrière les crèches ou dans le fenil, j'avais peur qu'elle ne revienne plus, car c'étaient les temps où, le soir venu, dans la vieille maison au bord des saules, elle pleurait en disant :

— Et moi, je n'ai rien eu.

Moi, j'allais vers elle. Je mettais ma tête sur ses genoux et je disais :

— Moi, tu m'as.

Mais elle pleurait sans entendre, et ses yeux avaient pris la couleur des larmes.

Lorsqu'elle avait fini de faire la litière, il fallait de nouveau traire les vaches. Elle restait longtemps sous chacune d'elles à tirer son lait, à verser le lait dans les bidons. J'avançais avec elle de bête à bête, sans faire de bruit de peur qu'elle ne me dise :

— Va dans la maison.

Ensuite venaient le repas du soir dans l'odeur graisseuse des cuisines inconnues, le retour à la maison. Elle rapportait parfois des choses dans son panier, quelques saucisses, des boudins, un saucisson, un os salé pour faire la soupe. Elle suspendait la charcuterie à des fils accrochés au plafond, non loin de la cheminée, pour qu'elle se sèche et se fasse.

Le lendemain, on retournait à la ferme pour aider à faire le saindoux et les graillons, saler le lard, le jambon. Ou bien on allait dans une autre ferme. De nouveau, toute la journée, dans cette lumière sale du jour qui ne se lève jamais, j'attendais le soir, l'heure où on serait toutes les deux dans le lit, où je n'aurais plus à avoir peur, où il n'y aurait plus à attendre la lumière du jour qui ne venait pas.

Elle allait faire des fagots dans les bois, en hiver. Quelquefois, les bois étaient lointains. Le jeudi, elle m'emmenait avec elle. On partait tôt, dans le désert de lumière pâle du jour d'hiver qui ne se lève jamais. Nos haleines restaient autour de nous en halo blanc.

Elle coupait les grosses branches, les petites branches. Moi, je les entassais en fagots, les pointes toutes du même côté, régulièrement. L'air sentait la sève et la sciure.

Elle ne parlait pas. On était seules, partout, dans le bois. Il y avait le silence coupé de coups de serpette qui se répercutaient dans les arbres, s'éloignaient, s'éteignaient là-bas dans les terres et je me demandais si quelqu'un nous entendait, savait qu'on vivait, là.

44

Elle, elle coupait les branches, et, moi, je les entassais en fagots réguliers.

A midi, et elle lisait l'heure à la hauteur de la lumière du jour, elle allumait un feu. Elle réchauffait le repas. Je m'asseyais et je la regardais. Sur la braise elle cuisait les saucisses que les gens lui avaient données quand ils avaient tué le cochon, et la graisse grésillait en fumant. Dans les cendres chaudes, elle cuisait les pommes de terre ou elle réchauffait les haricots ou le chou. Moi, je regardais. Elle disait parfois :

— Ne reste pas dans mes jambes à me regarder.

Je ramassais des brindilles ou des morceaux d'écorce pour le feu, sans m'éloigner. Je voulais être toujours près d'elle et la regarder.

De nouveau on travaillait et de nouveau c'étaient les coups secs, les craquements des branches, le froissement des feuilles et des vieilles fougères répétés loin dans le silence. Les oiseaux d'hiver voletaient autour du feu, piquaient les miettes. Ils restaient en rond autour du feu comme des personnages se disant des choses, tranquillement, un après-midi, au coin du feu.

Quand la lumière baissait, on revenait vers la maison. Les flaques d'eau et la boue claquaient contre nos bottes.

Une fois, c'était le Mardi gras. En rentrant, elle

avait fait des crêpes. Je me souviens du froid, de l'onglée, de la brûlure du feu, du parfum de vanille, d'elle et moi dans les bois déserts à faire des fagots.

Elle m'emmenait à la messe le dimanche. Je me souviens d'un dimanche surtout. En traversant la place où s'élèvent, d'un côté, la mairie et son monument aux morts de toutes les guerres, en face, l'église, de part et d'autre, les boutiques sous les arcades, elle a été arrêtée par le docteur. Il lui a dit :

— Génie, je t'ai aidée lorsque tu as eu la petite.

Il a attendu pour qu'elle se rappelle bien ces temps lointains où il l'a aidée et qu'elle dise oui. Mais elle n'a rien dit. Elle est restée debout devant lui avec tout ce silence qui l'entourait toujours. Sur la place, les gens chez lesquels elle avait travaillé, qui allaient à la messe ou faire des courses ou qui venaient au village simplement pour rencontrer d'autres gens et bavarder, se sont arrêtés pour nous regarder et entendre. Comme elle se taisait, le docteur a répété, plus fort, comme pour qu'elle comprenne bien :

— Je t'ai aidée, Génie, quand tu as eu la petite. Maintenant, c'est moi qui ai besoin de toi.

Il s'est interrompu pour lui laisser le temps de se mettre dans la tête cette chose qui lui arrivait. Il avait l'air content et patient. Tout le monde, autour, attendait la suite et la place était plongée dans un grand silence insolite. Moi, je voulais la prendre par un pan de sa robe et la tirer pour qu'on s'en aille loin de là. Comme elle ne répondait toujours pas, le docteur a expliqué :

— Tu vas venir habiter chez moi avec la petite, Génie.

Il a tendu la main vers ma tête, et je me suis vite cachée derrière elle, et il est resté avec sa main en l'air.

— Tu auras une belle chambre avec un cabinet de toilette et un cabinet d'aisances, Génie. Tu auras à faire le ménage, un peu de cuisine et à introduire les clients. Tu seras nourrie et tu recevras en outre un petit salaire, un vrai salaire, tous les mois, Génie. Tu peux venir t'installer dès ce soir si tu le désires.

Il s'est tu et a attendu sa réponse. Moi, j'étais toujours derrière elle à me cacher et à tenir sa robe

48

à deux mains, je me suis penchée et j'ai regardé le docteur.

Et soudain, je me suis rappelé le grand coq de ma grand-mère. Il commandait toutes les poules et personne n'osait lui tenir tête, même pas la chienne qui est pourtant une bonne chienne qui aboie fort avec beaucoup de gestes effrayants. Et puis, un jour, le grand coq à voulu aller manger le repas de la chienne que le grand-père met dans un plat en aluminium. Ça ne lui a pas plu, à la chienne, il ne faut jamais plaisanter avec sa nourriture. Elle a grogné, s'est redressée en même temps que le coq et, d'un seul coup de dent, lui a coupé net la tête. Comme ça, le plus terrible ça a été quand ma grand-mère a trouvé le coq couché près de sa tête. Je suis restée cachée dans le figuier à la regarder brandir d'une main le coq, de l'autre la tête morte et à l'écouter menacer tout le monde. Pendant ce temps, la chienne dormait tranquillement. J'aurais bien aimé que ma grand-mère soit à la place du coq, mais je comprenais bien que c'était difficile parce que la chienne n'aurait pas pu lui couper net la tête d'un coup de dent.

Le docteur attendait, et autour de nous tout le monde attendait, ce qu'elle déciderait. Elle, elle est restée un moment immobile face au docteur. Puis elle s'est retournée et m'a poussée vers l'église sans rien dire. Derrière nous, le docteur a encore dit :

— Tu peux venir dès ce soir, Génie. Tu auras un vrai salaire.

Dans la foule, quelqu'un a dit :

— Bravo, Génie. T'as raison.

mais pas trop fort. Il valait mieux ne pas dire des choses à certaines personnes comme le docteur, le notaire qui marchait toujours avec son journal déplié devant soi et un jour il est tombé dans une tranchée, le secrétaire de mairie qui donnait des renseignements contre des bouteilles d'eau-de-vie, le curé et les gendarmes.

A la sortie de la messe, des gens ont essayé de l'arrêter pour lui dire :

— T'as bien fait, Génie la folle.

ou bien :

— C'est pas une vie d'être bonne.

ou encore :

— Et nous, on t'aide pas tous les jours, Génie la folle ?

Elle a continué à marcher et très vite on s'est retrouvées dans le chemin, elle devant, moi derrière à courir de toutes mes petites jambes pour ne pas la perdre, entre les ronciers.

La colline blanche, derrière la maison, était pleine de renards. Ils avaient creusé partout des terriers dans le sable, parfois à ciel ouvert, parfois abrités sous des racines d'arbustes dénudées. Je les connaissais tous à force de parcourir la colline. Il y avait aussi des lapins sauvages et, à l'époque de la chasse, les chasseurs du village les guettaient et les traquaient sous les ronciers. La chasse aux renards était toujours ouverte même à l'époque des naissances. On chassait le renard au fusil ou au piège. En hiver, quand les campagnes étaient toutes désertes, les renards affamés allaient hurler autour des fermes et s'approvisionner en volailles même dans les basses-cours les mieux protégées. Les nuits de lune, on les entendait aboyer sur la colline et les chiens des fermes s'affolaient.

Lorsque quelqu'un avait tué un renard, il lui

attachait les pattes, passait un bâton entre les quatre pattes liées et allait de ferme en ferme pour qu'on le remercie de ce service rendu à tous en lui donnant quelque argent. Le plus souvent, c'était le grand fils de la ferme qui faisait la tournée et, chemin faisant, d'autres enfants se joignaient à lui, le suivaient respectueusement, lui et son renard sur l'épaule, comme un personnage de gloire en procession.

Je me souviens du roux ardent de la fourrure des renards, de leur queue opulente, de leur petit museau fin. Je me souviens combien je voulais apprivoiser un renard et qu'il soit mon ami. Mais on n'apprivoise pas un renard. On peut juste le tuer. Quand on est petit, on ne comprend pas.

On tuait aussi les pies. On jetait dans les prés, à la lisière des bois, des grains de maïs empoisonnés. Les pies affamées de l'hiver les mangeaient. Je les retrouvais, pattes vers le ciel, raidies de mort dans toute la colline. Je les ramassais et je les enterrais dans un trou de sable cependant que d'autres pies criaillaient d'arbre en arbre.

Bien longtemps après la nuit de la gare, j'ai retrouvé Pierre à La Rochelle. Je marchais dans la rue qui longe l'océan et les marronniers fleurissaient blancs ou rouges au soleil. Soudain, dans ce soleil fleuri, Pierre a été là. Il a dit :

— Marie.

doucement et moi j'ai dit :

— Pierre.

Dans le silence doré de ce jour, le vent berçait les grappes des marronniers qui regardaient l'océan.

Pierre a dit :

— Je t'ai appelée partout. Dans l'avion je disais ton nom : Marie.

et moi j'étais Marie.

Il disait :

— Je t'emmènerai loin où je suis né, dans

l'ombre bleue des plages, sur les douces îles aux frangipaniers.

Je t'emmènerai là-bas au bord des déserts et les chacals viendront pleurer à la lune. Les nuits seront pleines de pleurs de chacals entre le sable et la lune. et les pleurs de chacals devenaient larmes de lune.

Parfois, je me rappelle le jeune abbé seul sur sa chaise. Il y avait eu, jusque-là, un beau mois de mai. Pour la procession à la Vierge, tout le village, sur la colline, était un bouquet de fête heureuse. Dans l'avenue qui l'embrasse, on avait dressé des reposoirs de fleurs, de parfums, d'images pieuses. Les marronniers balançaient leurs grappes douces au-dessus des reposoirs.

Après, quand tout a été fini, les reposoirs flétris, les images disparues, le village calmé, les gendarmes silencieux, j'allais errer le long des haies de chèvrefeuille en fleur ou bien j'allais me perdre dans les herbes folles des fossés. Je me couchais. Les herbes me recouvraient, je me berçais de nuages.

Souvent je me rappelle ce mois de mai. J'avais douze ans. Le village fleuri de reposoirs était clair comme une voix heureuse. La procession sinuait, harmonieuse, de village en village, s'allongeait sur les routes bordées de fenouils sauvages. Elle semblait venue d'un autre monde avec sa Vierge miraculeuse.

Lucette, la fille d'un gendarme, et moi, on devait orner les autels de l'église. J'aimais l'église, l'encens, la lumière du soleil à travers les vitraux qui posait sur les dalles des grappes colorées et floues. Je m'amusais à mettre mon visage tour à tour dans les grains rouges, verts, jaunes, bleus et j'avais le visage tour à tour rouge, vert, jaune, bleu. On était dans le chœur, Lucette et moi, les bras chargés de fleurs, à jouer à mettre nos visages dans les rais de couleur en fermant les yeux. On riait. On était contentes. On riait.

Quand on a ouvert les yeux, l'abbé inconnu a été là.

J'ai eu peur. J'aurais dû m'enfuir loin de là, jeter ces brassées de fleurs inutiles. Je me souviens comme j'ai eu peur et vraiment j'aurais dû m'enfuir.

L'abbé souriait. Il s'accroupissait devant nous, tapotait nos cuisses pour calmer notre émoi. Soudain, j'étais contente. Il était gentil, me regardait, me souriait, me parlait doucement.

En sortant de l'église avec Lucette, dans ce monde clair, j'étais encore contente. Oui. Je me souviens quelle fête heureuse ç'avait été jusque-là.

Pierre parlait d'Hyères, des avions. Il disait le camp sur la route de la mer, le parfum velouté des mimosas le long des avenues bordées de palmiers. Il disait les orangers dans les chemins, les eaux vertes et les eaux bleues de la mer. Il disait :

— Marie. Ma douce. Mon esseulée. Ma fleur.

Quand il partait, il disait, sur le quai :

— N'aie pas mal, Poucet, je reviendrai.

Il écrivait :

— Dans l'avion je dis ton nom : Marie.

et moi j'étais Marie.

Il y avait une messe de minuit en l'honneur de la Vierge qu'on promenait de village en village.

Elle avait fait une robe pour elle et une pour moi dans le même tissu fleuri, ornées de rubans rouges. On était dans l'église, cette nuit-là, dans nos robes fleuries, moi toute proche d'elle et heureuse de lui ressembler. Les chants faisaient une cathédrale harmonieuse autour de la Vierge qui tendait ses mains ouvertes.

C'est alors que les gendarmes sont venus nous chercher dans l'église et tout a été changé pour toujours.

Ils nous ont emmenées hors de l'église en chants, dans nos robes neuves fleuries. A la gendarmerie, beaucoup d'autres gendarmes nous attendaient, des prêtres et le jeune abbé de l'après-midi.

Le père de Lucette voulait que je raconte ce qui était arrivé dans l'église, l'après-midi. Je racontais. Tout le monde écoutait. Un gendarme écrivait. Quand j'avais fini, le père de Lucette me disait de recommencer, de me rappeler tous les détails, de bien me rappeler. Je me rappelais et je disais les brassées de fleurs pour orner les autels, nos visages dans les grappes colorées de soleil, le jeune abbé qui s'accroupissait devant nous, nous tapotait les cuisses pour calmer notre angoisse, toute cette joie où j'étais.

Quand j'avais fini, de nouveau il fallait recommencer. Je redisais le sourire, la voix douce, la main qui calmait. Ils interrogeaient encore. Que nous avait fait, précisément, le jeune abbé avec sa main. Les gendarmes, les prêtres interrogeaient sans arrêt, toute la nuit et tout le lendemain matin. Moi, je disais :

— Non. Il n'a rien fait.

Je redisais :

— Non. Il n'a rien fait. Il a parlé de sa voix souriante, il nous a tapoté les cuisses, et moi j'étais si heureuse.

L'abbé se taisait, tout noir sur sa chaise.

Elle, elle s'était endormie sur le banc dans sa robe devenue toute flétrie.

Je me souviens de l'abbé tout seul sur sa chaise, d'elle endormie sur le banc dans sa robe neuve toute flétrie, ses mains abandonnées.

Sur le chemin du lycée, je croisais toujours le même balayeur qui balayait les trottoirs avec son balai de genêts. Il s'arrêtait lorsque je passais et disait :

— Bonjour petit bouquet de printemps.

Souvent, je pense à cet homme.

Pierre devait venir. C'étaient des aubes d'hiver où l'air léger, du bleu un peu mauve de certains lilas, enveloppait doucement les choses.

Pierre venait. Je m'endormais baignée de nuit tiède dans un éclatement rouge de grenade amère.

Pierre partait. Je l'accompagnais à la gare. Sur le quai, au bord du train d'Hyères, il disait :

— Il faut partir, Poucet.

Je restais encore. Il disait :

— Mon poucet. Ma douce. Ne pleure pas. Je

reviendrai. Je t'emmènerai loin, sur le sable bleu des îles bleues, au chant des filaos.

Il disait :

— Nous marcherons dans les sentiers d'orangers sauvages. Nous dormirons au jardin des pamplemousses, à l'ombre des parfums amers.

Je quittais Pierre. Je sortais dans la lumière malade des réverbères, les mégots, les papiers sales piétinés. Je m'asseyais sur les marches dans la cour de la gare. Il faisait froid partout. Loin dans le train Pierre disait :

— Ma douce. Mon esseulée. Ne pleure pas. Je reviendrai.

Après la nuit des gendarmes, il y a eu les journalistes. Ils interrogeaient et interrogeaient. Que nous avait fait le jeune abbé. Moi je disais :
— Non. Non.

Mais ils interrogeaient. Que nous avait donc fait le jeune abbé.

Je disais encore : l'église, les brassées de fleurs, nos visages heureux dans les grappes colorées de soleil et puis le jeune abbé soudain devant nous, la peur, l'abbé qui parlait de sa voix souriante, s'accroupissait devant nous, tapotait nos cuisses pour calmer notre angoisse. Et je disais toute cette joie où j'étais, on me voyait, me souriait, me parlait doucement d'une voix souriante. Je me souviens comme je voulais bien dire tout cela, cette joie au sortir de l'église en fleurs.

Et les gendarmes, les journalistes, interrogeaient

encore. Le jeune abbé nous avait fait quelque chose puisque Lucette l'avait dit. Je disais :

— Non. Non.

Et je racontais bien tout, l'église, les fleurs, les grappes, la voix douce, toute la joie. Et je disais :

— Non. Non. Il n'a rien fait.

Elle dormait sur le banc dans sa robe neuve devenue toute fripée. Je me souviens de ses mains.

Dans les journaux, il y a eu des photos. Elle, dans sa robe fleurie toute fripée, endormie sur son banc. Il y a eu aussi, dans les journaux, moi, assise sur ma chaise, dans ma robe fleurie froissée comme la sienne, entourée de gendarmes et de prêtres. Et aussi il y a eu la photo du jeune abbé tout noir sur sa chaise.

Quand enfin je suis partie de la gendarmerie, le jeune abbé s'est levé et a dit :

— Tu es une bonne petite, Marie.

et il a posé sa main sur ma tête et moi je l'ai regardé.

Dans les journaux il y a eu une photo du jeune abbé penché vers moi, sa main sur ma tête et moi je levais mon visage vers lui. Sous la photo, on ne disait pas les paroles de l'abbé : « Tu es une bonne petite, Marie. »

On disait :

65

— Et Marie a avoué combien cette aventure lui a plu.

Ils ont écrit beaucoup de choses, dans les journaux. Elle, qui n'avait pas de mari, et pourtant elle était fille d'une famille respectée, et jamais on n'a su qui était mon père. Moi, qui étais seule lorsqu'elle se louait chez les gens oui le plus souvent ne la payaient pas et elle ne réclamait pas, moi qui étais livrée à moi-même, dans une ancienne cabane au pied d'une colline sauvage peuplée de renards. Elle que l'on appelait Génie la folle, qui ne parlait pas, ne répondait pas quand on l'interrogeait. Moi qui avouais combien j'étais contente de cette aventure. Ils ont écrit beaucoup de choses comme celles-là, dans les journaux et il y avait ces photos :

elle, les yeux fermés, endormie sur le banc dans sa robe fleurie toute froissée,

moi, assise sur ma chaise, mes petites jambes pendantes, dans ma robe fleurie comme la sienne et toute fripée aussi, entourée de prêtres et de gendarmes,

le jeune abbé tout seul dans sa soutane noire,

le jeune abbé penché vers moi, la main sur ma tête, et moi le visage levé vers lui quand il disait :

— Tu es une bonne petite, Marie.

et les journaux disaient, sous la photo :

et Marie a avoué combien cette aventure lui a plu.

Après cela, il y a eu aussi ma grand-mère qui est venue sous le paulownia aux douces grappes mauves dans le ciel et qui a dit :

— Tu es pire qu'elle.

Je ne suis plus allée sous le paulownia.

Et il y a eu, l'année d'après cette nuit des gendarmes et des journalistes, le maçon qui hantait les chemins.

Souvent, j'arrivais à l'école trop tôt. J'attendais, devant les grilles de la cour, l'heure où une des maîtresses ouvrirait les portes. Il faisait si froid.

Je venais du fond des chemins serrés entre les haies avec des bottes sales, mon béret et des doigts gourds. Elle qui était déjà au travail, loin, du côté des fermes.

A l'école, il y avait les filles de la ville et celles de la campagne. Celles de la ville arrivaient juste au moment où la cloche sonnait la rentrée. Elles étaient en chaussures de ville bien propres, en blouses nettes et leurs joues étaient roses de chaleur à peine quittée. Quelquefois, elles achevaient de manger une tartine de beurre dans le rang, devant la porte de la classe. Parmi elles, il y avait Lucette, la fille du gendarme qui avait menti à propos de l'abbé tout seul sur sa chaise et qui ne m'avait jamais plus parlé depuis ce temps. Celles de la campagne habitaient au bord des routes qui sinuaient à la lisière des propriétés, de ferme en ferme. Elles arrivaient, les grandes devant, les petites derrière. Les plus éloignées passaient prendre les autres et les groupes grossissaient jusqu'à l'école. Chemin faisant, elles jouaient, se racontaient des choses secrètes, préparaient des expéditions. Elles arrivaient, les joues rouges d'excitation, les chaussures encore un peu propres. Quelquefois, elles avaient pris des lilas ou des seringats ou d'autres fleurs dans les jardins au bord de la route pour les offrir à la maîtresse. A l'époque où l'on tuait les cochons, elles apportaient des saucisses ou du rôti à la maîtresse, à l'époque des fruits, des fraises, des cerises ou des pêches, à la rentrée, du vin nouveau, ou du raisin qui se conserve en hiver, à la Noël, une volaille. Un jour, une fille avait apporté une poulette et elle s'était échappée. Elle a couru avec d'autres après la poulette pour la rattraper. Elles sont arrivées, sales et triomphantes, tard dans le matin, avec la volaille déplumée. Elles riaient. La maîtresse n'a rien dit et nous a fait une leçon sur les plumes des oiseaux, les vectrices, les rémiges, les duvets et tout ça.

Je venais, moi, du fond des chemins serrés entre les haies, avec, en hiver, des bottes sales et des doigts gourds. En classe, je ne pouvais plus maîtriser mes doigts gourds pour écrire. La maîtresse me faisait récrire les devoirs sur le cahier mais j'avais trop froid. Elle montrait aux autres mon cahier sale, à moi, un cahier propre. Personne ne disait rien.

Lorsque Pierre venait, il apportait de gros bouquets de soucis. Des soucis orange, des soucis jaunes. Je les mettais dans la carafe. Leur parfum de chair hantait l'air. Longtemps après son départ, ils demeuraient, comme le soleil de Pierre, comme l'odeur de Pierre, dans la maison.

La nuit, il disait :

— Je te mènerai aux îles où je suis né. Les sentiers d'orangers sauvages mènent au bord des grottes peuplées d'oiseaux. Je te mènerai aux douces îles où les oiseaux volent rouge dans les ciels bleus.

et j'étais oiseau rouge dans un ciel bleu, oiseau niché au profond des grottes.

Derrière la maison de ma grand-mère s'épanouissait la large treille de chasselas. Au printemps, le parfum de ses grappes fleuries venait à ma rencontre le long des chemins creux de l'école, entre les saules pâles de la rivière, dans les herbes des prés. En automne, j'allais regarder le vol immobile et grésillant des abeilles dans les rais dorés et les ombres bleues. Je mangeais les grains brunis de soleil.

Quand je rentrais, si elle était là, elle disait :

— Je ne veux pas que tu ailles là-haut.

Et puis, j'y retournais, d'autres jours, à l'heure où ma grand-mère somnolait dans le vaste fauteuil d'osier entre la cheminée et l'armoire. Je regardais encore les abeilles velues, je mangeais les grains dorés de soleil sucré. Elle disait encore :

— Je ne veux pas que tu ailles là-haut.

Je me souviens surtout du parfum des vignes entre les saules pâles de la rivière, de la treille dorée et bleue, rampant le long des jours d'automne, auréolée par le grésillement des abeilles volant immobiles.

Elle ne voulait pas que je joue comme les autres enfants, lorsqu'on était dans les fermes. Je ne comprenais pas ces choses, aux temps où j'étais très petite, ni pourquoi elle disait :

— On n'est pas ici pour jouer.

Je voulais sauter à la corde. Dans la cour de l'école, sous les tilleuls et les marronniers, sur les trottoirs du village, dans les chemins de ferme, partout, des enfants sautaient, à deux pieds, à cloche-pied, avec leurs cordes. Parfois, je restais à regarder. Je n'avais pas de corde.

Puis, il y a eu ce jour lointain où j'ai eu une corde. C'était un jour de dragées de baptême ou de mariage fleuri de musique ou de fleurs blanches de communion.

Elle travaillait dans une cuisine humide. Je restais près d'elle autour du fourneau. Je la suivais, si elle sortait, en courant de toutes mes petites jambes pour ne pas la perdre. Je m'accrochais à sa jupe. Elle disait :

— Ne reste donc pas toujours dans mes jambes.

ou bien :

— Va dehors.

Je sortais alors et je m'asseyais par terre face à la porte pour la voir toujours, surveiller tous ses pas. Je me souviens de tout ce vide des cours de ferme.

Un jour, comme j'étais ainsi assise, occupée à la guetter en triturant petitement la poussière, quelqu'un est venu et m'a tendu une corde.

C'était une très belle corde avec des bois tout colorés. J'ai sauté à la corde dans la cour, sauté, sauté encore. La corde dansait en cercles comme des ailes, l'eau du ruisseau sautait, le soleil sautait.

Elle est venue, a pris la corde, est rentrée dans la maison en disant de sa voix lasse :

— On n'est pas ici pour s'amuser.

Je suis restée là, assise face à la porte, et j'ai repris mon guet. Elle est revenue m'apporter des choux à la crème encore chauds. Je me souviens de ce jour.

Pierre disait :

— Là-bas, tu te baignes la nuit, dans une eau
douce et tiède comme la soie. Les lucioles d'eau
étoilent les vagues, dansent la danse des étoiles
d'eau.

— Je t'emmènerai là-bas où je suis né dans les
chemins d'orangers sauvages où les sauges géantes
crient rouge et tu marches, et tu t'enfonces, et tu te
perds.

— Je te mènerai au pied des villes. A peine la
moisson du riz terminée, les eaux tristes des marécages se couvrent de jacinthes d'eau. Tu vas, sur les
talus étroits, dans une forêt de grappes géantes du
mauve un peu rose de certains lilas.

Pierre parlait. Ses yeux devenaient plages ve-
loutées où dansait l'eau habitée d'étoiles. Dans

la gare désertée, ses yeux se veloutaient du soleil des plages. J'étais, la nuit, au bord des plages, oiseau rouge dans la musique du vent dans les filaos.

Après le repas de midi, dans les fermes, il y avait un moment de repos, généralement une heure, quelquefois plus, quelquefois moins, suivant la saison ou la ferme. Durant ce temps de repos, en été, les gens disparaissaient du côté des chambres, les chiens du côté de la paille des granges ou des ruisseaux. En hiver, les femmes restaient près du feu à ne rien faire ou à tricoter, les hommes et les chiens allaient dans les granges je ne sais pas quoi faire.

Elle, elle demeurait parfois assise sous le hangar de la grange, un peu voûtée de fatigue, les mains abandonnées au creux de sa robe. Mais le plus souvent, on lui demandait de faire des choses. On lui disait alors :

— Génie la folle, toi qui n'as rien à faire... ou bien :

— Génie la folle, pendant que tu te reposes un peu...

ou encore :

— Génie la folle, ça te reposerait de...

Elle ne répondait rien et s'apprêtait à faire ce qu'on lui commandait, cependant que chacun allait s'allonger ou s'asseoir. Ces travaux de la sieste étaient très variés.

Elle allait dans les champs ramasser de grandes brassées de feuilles de betteraves, ou des paniers de poires, de pommes pour donner aux cochons toujours affamés. En été, elle écossait des haricots blancs, équeutait des haricots verts. En hiver, elle triait les lentilles, les fèves ou les pois secs pour ôter ceux que les charançons avaient attaqués. Moi, je l'aidais en silence pour qu'elle ne me dise pas :

— Ne reste pas dans mes jambes.

Elle nettoyait les poulaillers ou les cages à lapins, y brûlait de la paille pour exterminer la vermine. Si une vache devait mettre bas, elle s'installait dans la grange sur le tabouret à trois pieds pour surveiller la marche des événements pendant que les autres dormaient. Je restais près d'elle à regarder la vache qui beuglait de souffrance et nous regardait avec des yeux suppliants. Quelquefois, le petit veau naissait pendant qu'on était là. S'il était menu, c'était vite fait. Il passait d'abord la pointe de ses

sabots avant. Il fallait les saisir, tirer un peu,
dégager la tête et après il sortait tout seul. Ensuite
on le mettait sur de la paille fraîche près de sa mère
pour qu'elle puisse le lécher et on attendait qu'elle
rejette le placenta. Quand le fermier se levait, elle
disait :

— C'est un veau.

ou :

— C'est une velle.

et elle s'en allait aux champs, et moi j'étais toujours
très soulagée de quitter ces maisons.

Si le veau était gros, il fallait réveiller le fermier.
On attachait des cordes aux pattes avant du veau et
on tirait pour que le thorax passe. S'il ne passait
pas, le veau s'asphyxiait. Tout le monde criait et
moi j'avais très peur parce que le veau tirait une
longue langue violette. Lorsque le veau était né, le
fermier disait :

— C'est l'insémination artificielle. Ça fait des
veaux trop gros.

Si on n'arrivait pas à arracher très vite le veau du
ventre de sa mère, il mourait étouffé. On l'enterrait.
Les gens étaient de mauvaise humeur car c'était
une grosse perte.

Dans d'autres fermes on lui demandait de
conduire au taureau les vaches en chaleur. On lui
disait :

80

— Ça te promènera.

Il y avait peu de taureaux et c'était toujours au même endroit qu'on allait, elle devant tirant la vache par la laisse, moi derrière la poussant avec un bâton, car les vaches en chaleur sont toujours très nerveuses. On attachait la vache à un arbre, l'homme lâchait le taureau qui bondissait sur la vache. J'avais très peur, toujours. Le fermier disait des choses en la regardant, elle, elle ne disait rien et dès que le taureau avait fini de sauter sur la vache et commençait à ruminer, on repartait, elle devant, moi derrière.

Si la chatte ou la chienne avait eu des petits, on lui disait :

— Génie la folle, pendant que tu te reposes, va tuer les chatons.

ou les chiots. Elle mettait chatons ou chiots dans un sac avec des pierres et allait jeter le tout dans la rivière. Je la suivais, de loin, car, de temps à autre, elle se retournait et disait :

— Va-t'en.

Dans certaines fermes on enterrait vivants dans le tas de fumier chatons et chiots. Je me souviens de chiennes qui cherchaient leurs petits en pleurant. Elles couraient partout, appelaient, cherchaient, nez en avant, des heures durant. A la fin, elles s'accroupissaient dans un recoin de la maison et pleuraient. Les gens leur faisaient des omelettes au persil à cause du lait et les chiennes pleuraient.

S'il y avait une épidémie de myxomatose, on lui disait :

— Puisque tu n'as rien à faire, Génie la folle, tu pourrais tuer les lapins malades.

Les lapins malades étaient couverts de gros bubons rouges sur la tête, les yeux, la bouche, les oreilles, le nez. Ils tenaient fermées leurs paupières gonflées et purulentes. Ils bavaient. Surtout, ils avaient une façon douce de gémir sans fin, d'une petite voix de lapin malade. Les gens gardaient jusqu'à leur mort les mères malades car, si elles guérissaient, leurs petits seraient immunisés. S'ils étaient bon à manger, les jeunes lapins atteints étaient tués, on jetait la tête et on mangeait le corps. On ne tuait et jetait que les lapins très malades qui ne pouvaient plus manger tant ils avaient de bubons rouges sur la bouche. C'est ce travail qu'on la chargeait de faire. Du plat de la main, elle donnait au lapin moribond un grand coup derrière la tête. Le lapin, déjà plein de souffrance et de chagrin, poussait un petit cri et mourait.

Je disais :

— Ne fais pas ça.

Elle disait :

— Tais-toi.

ou bien :

— Ne regarde pas ces choses.

Lorsqu'ils se levaient, les gens s'étiraient de contentement et disaient :

— Ça fait du bien une petite sieste. Pas vrai, Génie la folle.

Elle ne répondait pas et partait vers les champs.

Parfois, le soir, elle restait devant le feu, immobile, les mains abandonnées. Je regardais ses mains. Elle disait :

— Et moi, je n'ai rien eu.

Je disais :

— Moi, tu m'as.

Elle pleurait. Elle tendait ses mains vieilles vers le feu.

Et puis, un soir, bien avant qu'Antoine vienne la chercher pour l'emmener chez lui, quelqu'un a frappé. Elle a ouvert. C'était Louis, le maire, qui venait. Il a dit :

— Je viens te chercher, Génie la folle. On a emmené la femme à l'hôpital. Il faut que tu t'occupes des enfants et des bêtes.

Elle n'a rien dit. Alors, il a dit encore :

— C'est pour trois mois. Je te donnerai ce que tu voudras.

Ils se sont tus, lui pour la laisser réfléchir. Dehors, il pleuvait fort. A la fin, elle a dit :

— Ce sera une vachette.

Il a réfléchi un bon moment. J'ai pensé qu'il refuserait parce qu'il était réputé pour son avarice. Mais il a décidé :

— Tu auras la vachette. Mais il faut que tu viennes de suite.

Ils sont partis sous la pluie, elle, la tête protégée par le sac de jute mis en capuchon.

Je me suis assise sur la chaise près de la porte et J'ai commencé à attendre. J'écoutais les bruits de la pluie et de la nuit. je cherchais dans ma tête un nom pour la vachette que le maire allait lui donner. Je pensais à Rose parce que la fille du cantonnier, qu'on voit assis sur tous les talus, s'appelle Rose, qu'elle est jolie et douce comme une fleur et que le prénom qu'on porte est toujours important pour tout le monde. Dehors il pleuvait toujours.

Tard dans la nuit, il y a eu le bruit mouillé de ses pas dans la boue. J'ai ouvert la porte très vite. J'aurais voulu lui sauter au cou parce que j'étais si contente, si contente qu'elle revienne enfin.

Elle a dit :

— Va te coucher tout de suite.

Elle revenait sans la vachette. J'ai pensé qu'elle

ou le maire avait changé d'avis. Elle s'est couchée aussitôt et aussitôt a été presque endormie. Elle sentait la fumée de bois. Juste avant de dormir tout à fait, elle a dit :

— Il faudra lui ménager un réduit dans le hangar.

Alors, j'ai été encore contente et de nouveau j'ai réfléchi au nom que je lui donnerais et que j'irais voir les noms des saints du calendrier chez mon grand-père.

Je suis allée consulter le calendrier du grand-père le lendemain soir, en rentrant de l'école. Il pleuvait toujours. Quand elle m'a vue, la grand-mère a dit :

— Tu es comme elle. Tu ne penses qu'à traîner.

Je suis restée quand même à cause de la vachette qu'on allait avoir, il fallait bien qu'elle ait un nom, et parce que j'étais petite. Je suis allée vers la table où mon grand-père lisait l'histoire des vieux rois fous dans ses gros livres et j'ai dit :

— Je voudrais voir le calendrier.

Il a pris des noix dans sa musette et a dit :

— Mange, petite.

et après un moment :

— Ne crois pas qu'elle traînait. C'était une bonne petite. Mais il y a eu un malheur.

J'ai commencé à regarder chaque nom du calendrier et j'ai vu que beaucoup ne voulaient rien dire ou, s'ils voulaient dire quelque chose, ça n'allait pas avec la vachette qu'on aurait. A la fin, je me suis décidée. J'ai rendu le calendrier au grand-père et je lui ai dit, pour le remercier :

— On va avoir une vachette. Elle s'appellera Rose.

Il m'a regardée et a dit :

— C'est une grande chose, petite. Une bête dans la maison, c'est une grande chose.

et il s'est remis à lire dans ses gros livres protégés de cuir. Quand j'ai été près de la porte, il a encore dit :

— Je te donnerai un chien, petite.

J'ai marché doucement vers la maison sous la pluie qui faisait comme une musique sur mon béret. Je pensais au chien et au nom que je lui donnerais et à la vachette qui s'appellerait Rose. Je pensais :

— On attendra tous les trois qu'elle revienne.

La vase du chemin claquait fort contre mes bottes. Alors, j'ai eu une autre idée. Au printemps, j'aurais aussi un petit canard. Il s'appellerait Benoît. Et j'ai couru très vite vers la maison en souhaitant que le printemps soit là. Elle n'était pas rentrée encore. J'ai commencé à l'attendre pour lui dire toutes ces choses que je pensais.

Le jeudi, si elle n'était pas là et si elle ne m'emmenait pas avec elle, j'allais parfois jusque chez ma grand-mère. Il y avait souvent des oncles, des tantes ou des cousins. J'entrais. Les visages se tournaient vers moi, se taisaient, se retournaient vers ma grand-mère qui disait :

— Elle vient pour espionner.

J'attendais sur le pas de la porte. L'odeur de café frais et de meubles cirés m'engourdissait.

Les cousins, les oncles et les tantes ne me parlaient pas, non plus qu'à elle. On ne savait pas qui était mon père et avec moi le malheur était entré dans la plus belle famille de la région.

Mon grand-père levait enfin ses yeux couleur de ciel d'été heureux de sur ses livres pleins d'histoires de vieux rois devenus fous et disait :

— Viens, petite.

J'allais à lui dans le silence des autres. Il fouillait de sa main unique la musette qui pendait du côté de son bras absent. Il en sortait des noix, des noisettes ou une pomme, me les donnait en disant :

— Mange, petite.

Ensuite, il retournait à ses rois morts depuis toujours, ou à l'histoire des voyages en enfer de Dante, de ces hommes devenus arbres ou serpents. J'attendais un moment près de lui. Il lisait. Je sortais cependant que ma grand-mère et ses visiteurs se taisaient. Dès que la porte se refermait, les voix montaient, les petites cuillères tintaient contre la porcelaine.

J'allais derrière la maison, près du puits. Je mangeais la pomme, les noisettes ou les noix que je cassais avec un caillou sur la margelle. Je jetais dans le puits le trognon de pomme ou les coquilles.

Quelquefois, la grand-mère venait du côté du puits s'assurer de ce que je faisais. Je marchais lentement jusqu'à ce que les haies des sentiers me cachent. Elle attendait que j'aie disparu pour retourner dans sa grande maison.

J'allais sur la colline au sable de renard et j'attendais.

Pierre écrivait :

— Nous irons à Oberammergau quand les tilleuls refleuriront.

Pierre venait.

A Oberammergau le parfum des tilleuls en fleur errait hors de la ville au long des routes, s'égarait loin entre les montagnes. La nuit, les chiens fous aboyaient vers le ciel, les hommes cherchaient, dans l'odeur insupportable des tilleuls fleuris.

Pierre partait. A la gare, il disait :

— Marie. Mon Poucet. Ne pleure pas. Je reviendrai.

Il écrivait :

— J'irai à toi toujours puisque l'océan du bout du monde marche vers la terre.

Je me souviens du froid, sur les marches, devant la gare.

Le premier soir, le maçon était dans le chemin assis sous le grand cèdre du virage. Il sifflotait. Il n'a rien dit, m'a regardée passer en sifflotant. Je suis passée et quand j'ai été loin, j'ai couru vers la maison. Elle n'était pas là. J'ai attendu longtemps au bord du chemin.

A partir de ce jour, il est revenu d'autres soirs. Il était toujours assis tranquillement sous le cèdre et me regardait passer en sifflotant le même air. Je passais. Parfois, au bout du chemin, je me retournais. Il sifflotait, tourné vers moi. A la fin, je n'ai plus eu peur.

Et puis, un soir, lorsque je suis arrivée au virage où il sifflotait assis sous le cèdre, il m'a regardée comme toujours mais a cessé son sifflotement. Je suis arrivée à sa hauteur et il a dit :

— Bonsoir, mignonne.

et puis il s'est remis à siffler. Alors, de nouveau j'ai eu peur et quand j'ai été loin entre les haies de cognassiers fleuris de rose, j'ai couru et couru vers la maison et vers elle qui n'était pas encore rentrée de la ferme du maire.

Pour attendre, ce soir-là, je ne suis pas allée dans le chemin. Je suis montée sur la colline. Je me suis postée derrière des touffes de buissons d'où je pouvais surveiller le chemin. J'ai joué avec le sable de renard effrité au bord des terriers.

Pierre écrivait :

— Tu es ma terre ensoleillée. Je t'aime de m'ouvrir les saisons et les routes.

Pierre venait. L'odeur de chair des soucis emplissait l'air. Il riait. Il disait :

— Il faut rire parce que tu es Marie et que je suis Pierre.

Il disait :

— Nous allons voir la mer.

A Ostende, la mer était grise, le ciel gris, les dunes désertes. Nous marchions avec des dunes grises devant nous, des dunes grises derrière nous. Nous restions au creux du sable, à l'abri du vent. Il disait :

— Ma femme. Ma terre. Je te mènerai au bord des mers où l'eau verte est douce comme la soie.

Pierre repartait. Sur le quai de la gare le long du

train d'Hyères, il me prenait contre lui. Je devenais sa vie en larmes.

— Poucet. Ma fleur. Ma douce. Ne pleure pas. Je reviendrai.

J'attendais, assise sur les marches devant la gare que le train parte. Le train partait. Les espoirs divaguaient. J'attendais.

Elle se levait très tôt pour aller travailler chez le maire. Elle allumait le feu, faisait le café, chauffait du lait. Elle coupait des petits morceaux de pain et les disposait dans nos deux bols. Elle versait lait et café dans le sien, s'asseyait devant le feu et mangeait, les yeux fixés sur son bol. Ensuite, elle posait le bol dans l'évier, allait chercher de la paille et en bourrait ses bottes avant de les mettre. Du lit, je suivais tous ses gestes. Avant de partir, elle disait :

— Dors un peu, encore.

Je restais encore un peu dans le lit refroidi puis je me levais dans le matin triste. Je refaisais ses gestes pour déjeuner, pour attiser le feu, pour faire la vaisselle. Je balayais la pièce et jetais les balayures dehors s'il faisait sec, dans le feu s'il pleuvait. Puis j'attendais, assise près du feu, l'heure de partir pour l'école.

Je partais vers l'école. Les chemins, entre les haies nues étaient pleins d'eau boueuse où j'enfonçais. Il fallait arracher mes pieds à la boue, l'un après l'autre, à chaque pas. Parfois, les bottes, qu'elle achetait trop grandes pour qu'elles durent plus longtemps, restaient prises dans la boue. Je posais le pied dans l'eau, arrachais la botte, arrachais le pied, remettais le pied mouillé dans la botte. J'avançais. De nouveau j'enfonçais, j'arrachais la botte, le pied, l'autre botte, l'autre pied.

Lorsque enfin j'arrivais à la route, j'avais le visage, les mains et les pieds couverts de boue et de larmes. Je lavais mains et visage dans l'eau des fossés. Mes pieds baignaient dans l'eau gluante des bottes. Je les lavais le soir, en revenant à la maison.

Le soir, j'allumais le feu, je me chauffais. J'attendais qu'elle revienne en écoutant les bruits des saules de la rivière dans la nuit. Parfois, j'ouvrais la porte pour regarder l'ombre d'où elle surgirait. S'il pleuvait, je m'amusais à mettre les mains en coquille sous les gouttières pour recueillir l'eau et je sentais son odeur de feuilles mortes et de mousses décomposées. Elle n'arrivait pas. Je rentrais. Je m'asseyais de nouveau près du feu et j'attendais.

Enfin, tard dans la nuit, j'entendais le bruit mouillé de ses pas. Je courais à la porte, je lui ouvrais, soulevée de joie.

Elle faisait réchauffer sur les braises le repas qu'elle avait rapporté pour moi de chez le maire. Je mangeais. Elle disait :

— Ne mange pas trop vite.

Ses vêtements humides fumaient. Elle rapportait sur elle l'odeur aigre des canards et des oies qu'elle avait gavés avant de revenir.

Je me couchais. Elle nettoyait ses pieds, préparait ses bottes, se couchait. Très vite, elle s'endormait. Je pensais un moment au soir où elle ramènerait Rose, la vachette, au canard Benoît, que j'aurais au printemps. Je cherchais un nom pour le chiot que mon grand-père m'avait promis. Je me disais :

— Ce sera Frêne.

parce que Frêne, c'est un nom plein de vent.

Il arrivait que, pendant longtemps, je ne rencontre plus mon grand-père dans les sentiers. Je savais alors qu'il était parti pour une de ses lointaines visites. Le jour de son départ, il levait soudain les yeux de sur ses vieux livres au cuir usé qui racontaient l'histoire de vieux rois d'autrefois, morts depuis toujours, ou devenus fous, ou égarés au fond de lointaines années. Il disait :

— Je vais voir le Pape.

ou bien :

— Je vais à Mycènes voir Agamemnon.

ou bien :

— Je vais à Istamboul voir Sainte-Sophie.

ou d'autres choses comme celles-là. Et il sortait avec, du côté de son bras absent, sa musette un peu plus lourde qu'à l'ordinaire, son bâton à la main. Il demeurait un instant devant la grande maison qui dominait la vallée, sous le paulownia ou près du cyprès dont il disait que c'était dans ses planches qu'il voulait être enterré. Il regardait loin. Puis il partait.

Moi, je m'imaginais qu'il parcourait à pied de longues routes qui mènent à Istamboul, à Epidaure, à Ithaque. Je pensais qu'il rencontrait des enfants inconnus, qu'il leur disait :

— C'est toi, petit.

comme à moi et qu'il leur donnait des noix, des noisettes ou une pomme. Et les enfants le regardaient s'éloigner immobiles et stupéfaits, dans d'autres chemins de ronces.

Lorsque le vent soufflait fort dans les branches des marronniers, une pluie de pétales embrumait l'air. Les marronniers rouges berçaient les marronniers blancs dans leurs branches.

Au printemps, lorsque j'étais petite, je me couchais sous le grand paulownia de la grand-mère pour regarder les grappes mauves se balancer doucement dans le ciel. Je me souviens. Je rêvais d'un homme qui me prendrait dans ses branches, comme un arbre.

Pierre est venu. Il disait :

— Marie. Ma fleur. Je te mènerai loin, sur les douces îles aux frangipaniers. Les flamboyants fleurissent rouge et font pleuvoir des gouttes de sang dans le vent. Je te mènerai au jardin des pamplemousses et nous dormirons loin, au fond des îles bercées d'océans.

Pour aller travailler chez le maire, elle partait très tôt, le matin, en me disant :

— Dors un peu, encore.

et moi, je ne pouvais pas dormir. Je me levais, je répétais ses gestes pour manger le pain dans le café au lait, les yeux posés sur mon bol, pour balayer la pièce en jetant les ordures dans le feu ou dehors dans le petit matin sale, pour faire la vaisselle ou prendre l'eau dans le puisard. J'attendais l'heure de partir pour l'école, assise sur la pierre de la cheminée, dos au feu.

Le jeudi, j'allais aussi travailler dans les fermes. Elle disait, en partant :

— Il y a les sarments à ramasser à la Borde-neuve.

et toute la journée je faisais les fagots dans la vigne cependant que le fermier, un peu plus loin, ébran-

chait les ceps avec son sécateur, que les tulipes
sauvages poussaient leurs boutons pointus. Le soir,
avant de rentrer, je ramassais des poireaux ou de la
mâche sauvages.

Ou bien elle disait :

— On tue les oies grasses au Moulin du Pech.
et je plumais les oies en prenant soin de ne pas
déchirer leur peau tendue de graisse jaune. Je
séparais les plumes dures à jeter des duvets à garder
pour les édredons et les oreillers. Les femmes
parlaient.

Ou encore elle disait :

— On tue le cochon au Fournier.

Je lavais les boyaux pour les saucisses, les
saucissons, les boudins, je coupais les morceaux de
viande, je surveillais le feu qui chauffait l'eau d'une
grosse lessiveuse, sous un hangar. Les gens
parlaient et riaient. A midi, on mangeait du porc au
tournebroche. Le facteur était invité. Les gens
parlaient et riaient dans la maison humide et pleine
d'odeurs graisseuses. Le soir, je rentrais avec,
quelquefois, ce qu'on m'avait donné, saucisses ou
boudins, ou promis, du bois, de l'avoine.

A la maison, j'allumais le feu. J'attendais qu'elle
revienne, assise près de la porte ou debout, dehors. Je
guettais son pas parmi les bruits de la nuit, des saules
de la rivière, des cris de la colline aux renards.

Elle rentrait très tard, toujours, portant sur elle l'odeur aigre des oies grasses gavées. Elle réchauffait le repas qu'elle rapportait pour moi. Je mangeais. Elle disait :

— Ne mange pas trop vite.

On se couchait et elle s'endormait aussitôt.

D'autres fois, le jeudi, il n'y avait pas de travail pour moi dans les fermes. J'attendais son retour dès l'instant où elle avait quitté la maison. Pour faire passer le temps d'absence, je lavais la cuisine à grands seaux d'eau jusqu'à ce que les vieux carreaux soient nets et luisants. J'organisais sous le hangar un coin pour Rose, la vachette, le canard Benoît et Frêne, le chien. Je bouchais les issues avec des sacs, je déplaçais le tas de bois, j'égalisais le sol, je nettoyais des caisses. J'allais sur la colline au sable de renard cueillir les bruyères, les fougères, les feuilles des arbustes pour faire de la litière. Je voulais que Rose, Benoît et Frêne soient heureux chez nous. J'allais aussi le long des chemins et des talus, le long des ruisseaux et de la rivière à la recherche de coins d'herbes tendres pour y mener paître la vachette. Je cherchais les points où les ruisseaux seraient assez profonds pour garder l'eau en été. Benoît y nagerait, Rose y boirait, Frêne et moi, on les regarderait, contents.

Je revenais vers la maison en faisant durer le

trajet aussi longtemps que possible. De loin, sur la colline où j'errais, je regardais le toit de la maison sale de vieilles mousses, la façade décrépie, la cheminée sans feu. J'espérais toujours que ce jour-là le maire n'aurait pas eu besoin d'elle, qu'en ouvrant la porte je la trouverais en train d'allumer le feu et moi j'irais à elle et je lui dirais enfin combien j'étais heureuse qu'elle soit là. Combien j'étais heureuse.

Je dévalais en courant la colline pleine de sable blanc. Elle n'était jamais rentrée.

Parfois, je n'en pouvais plus d'attendre si longtemps avec seulement le bruissement des saules de la rivière. J'allais alors vers la ferme du maire en évitant les chemins pour que personne ne me voie. Je contournais les champs de blé, traversais les terres labourées parsemées encore de vieux pieds de maïs de l'automne passé. J'arrivais à la ferme.

Je grimpais sur le mur d'enceinte, je m'asseyais à califourchon et je surveillais les portes de tous les bâtiments, de la grange, de la porcherie, des poulaillers, des remises, de l'habitation. Elle finissait toujours par sortir. Je savais qu'elle ne voulait pas que je sois là, mais je ne me cachais pas. Si elle me voyait, elle s'arrêtait et disait :

— Rentre à la maison.

Puis elle reprenait son travail.

Je restais encore un moment sur le mur et je repartais. Je m'arrêtais dans les fossés pour patauger dans l'eau et laver mes bottes. En passant près des fermes, je regardais dans les basses-cours pour voir où je pourrais le plus facilement prendre le petit canard Benoît. Il faisait froid. Je rentrais à la tombée de la nuit. J'allumais le feu et j'attendais.

Un soir, en l'attendant, je me suis assise à califourchon sur la chaise, dos au feu, tête appuyée sur le dossier. Je voulais ressembler aux gens du village.

A la fin des après-midi d'été, les hommes du village sortent les chaises au seuil des portes, s'assoient à califourchon, parlent avec les voisins. Parfois, ils interpellent ceux qui passent, qui s'arrêtent et s'assoient aussi un moment sur le seuil des portes. Les femmes, sur les bancs verts placés contre les façades se racontent des choses à mi-voix. Les chats et les chiens sont sur ou sous les bancs. Les géraniums fleurissent rouge au bord des fenêtres et au pied des murs. Tous ont l'air heureux d'être là, tranquillement installés sur les bancs ou à califourchon sur les chaises à bavarder ou à parler de rien.

Ainsi, je me suis assise pour ressembler à tous ces gens du village. J'ai commencé à écouter les bruits de la nuit tombante. Et puis, je me suis endormie.

Lorsque je me suis réveillée, en sursaut et le cœur fou, le feu était mort, la cuisine pleine de nuit, elle pas revenue encore. J'ai eu très peur. Peut-être était-elle rentrée et me voyant tranquillement endormie sur ma chaise, elle était repartie loin, m'abandonnant pour toujours dans la maison perdue au fond des terres, sous les saules.

Je suis sortie dans la nuit, j'ai couru de toutes mes forces dans le chemin. J'ai couru et couru, très loin, vers elle. A la fin, il y a eu une ombre. C'était elle. Je me suis arrêtée et j'ai pleuré. Elle n'a rien dit.

A la maison, elle a rallumé le feu, réchauffé mon repas, vidé ses bottes de leur paille, nettoyé avec une allumette les crevasses de ses talons. Dans le lit, j'avais froid et encore peur et pourtant, elle était là. Avant de s'endormir, elle a dit :

— La vachette pousse ses cornes.

Alors, de nouveau, je me suis mise à pleurer et à pleurer. Elle n'a rien dit et puis elle s'est endormie très loin.

Après le soir où il m'a dit :

— Bonsoir, mignonne.

le maçon a cessé d'être là, assis sous le cèdre du
virage à siffloter sans fin. En rentrant de l'école,
lorsque j'ai vu qu'il n'était pas là, je me suis arrêtée
un moment pour bien regarder partout. Je me suis
assise en respirant tranquillement le vent frais qui
bruissait dans les aiguilles du cèdre. J'avais le
temps. Elle travaillait toujours chez le maire et ne
rentrerait pas avant le milieu de la nuit.

Après, j'ai marché vers la maison en écoutant le
parfum des fenouils sauvages du fossé.

Les autres soirs, je me suis encore assise sous le
cèdre pour écouter le vent, et encore j'ai marché
tranquillement dans les chemins, sans me presser,
avec le parfum des fenouils. Parfois, même, je me
suis arrêtée au bord des champs de blé pour cueillir

un bouquet de petits glaïeuls sauvages. Je rentrais à la maison, je les mettais dans la carafe, sur la table. Ensuite, j'attendais qu'elle revienne, au bord du chemin jusque tard dans la nuit. Les saules fous de la rivière s'agitaient.

Le dernier de ces soirs, j'ai fait un détour pour aller voir les seringats dans le plus beau des jardins du village. Je me suis arrêtée devant les barreaux verts du portail et je les ai regardés de loin. Puis, il faisait si doux et j'étais si contente, je me suis approchée et j'ai regardé tout près du portail. Quand on est petit, on ne sait pas certaines choses. Pour ne plus voir les barreaux, j'ai passé la tête entre les barreaux et j'ai pu regarder les seringats sans barrière.

Le jardinier m'a vue. Un moment, il est resté à demi redressé à me fixer. Je n'ai pas bougé. Je ne voulais rien faire de mal. Je voulais simplement regarder les fleurs sans barrière, simplement, tranquillement, parce que c'était un soir plus doux que les autres.

Le jardinier s'est baissé, a pris de la terre, s'est redressé et, tourné vers moi, a malaxé la terre dans ses mains pour en faire une boule, sans hâte, tranquillement. Tranquillement aussi, il a levé le bras et a lancé la boule de terre contre le portail, là où j'avais le visage. La motte a éclaté sur ma tête et une pluie de terre a coulé sur moi.

Quand j'ai rouvert les yeux, le jardinier malaxait une autre motte. J'ai lentement retiré ma tête d'entre les barreaux et j'ai marché. Je n'ai ni couru ni rien. La motte a éclaté dans mon dos.

A la maison je me suis lavée dans un seau près du vieux puisard sans margelle. Ensuite j'ai commencé à l'attendre assise contre le mur. J'écoutais les saules bavarder dans le vent.

La lettre d'Hyères est arrivée un soir. C'était une lettre officielle, dactylographiée, à en-tête de l'armée de l'air.

Je suis sortie et j'ai marché dans le soir et la nuit. Dans les avenues, il y avait des lumières, les gens, le froid qui mordait les visages.

Pierre, lorsqu'il partait, disait :

— Ne pleure pas, Poucet. Je reviendrai.

Je me suis assise sur les marches, devant la gare. Les marronniers dressaient leurs bourgeons huileux dans la lumière malade des réverbères. J'ai attendu jusqu'à ce que parte le train d'Hyères que Pierre ne prendrait plus.

Le matin suivant, je suis sortie très tôt. Les voitures passaient, rares, dans l'avenue grise. Les pigeons se posaient sur les pavés ternes de la chaussée, s'envolaient avec un bruit sec d'ailes à l'approche des voitures. Un pigeon picorait tranquillement au milieu de l'avenue. Il s'est envolé quand la voiture est arrivée sur lui. Elle l'a heurté de son capot. Il y a eu quelques plumes envolées, le pigeon mort tout froissé sur le trottoir.

C'était le petit matin d'un dimanche très gris, très triste.

Alors, je n'ai plus pensé, le soir, en revenant de l'école, au maçon assis sous le grand cèdre du virage. Le monde était calme. J'allais sans hâte. Je savais qu'elle rentrait si tard de chez le maire. Je m'attardais à ramasser les fenouils sauvages des fossés et j'emportais avec moi leur parfum anisé, je regardais tranquillement les prés tranquilles de la vallée, la ligne raide des peupliers le long de la rivière. Je marchais entre les haies, à petits pas, puisqu'elle ne rentrerait que tard. J'allais comme tout le monde, exactement comme tout le monde, dans ces soirs heureux de printemps revenu.

Je n'ai pas entendu son sifflotement en arrivant près du cèdre, tant je marchais tranquille. J'aurais pu fuir, retourner en arrière, passer à travers champs. Mais non. Je n'ai rien entendu.

Simplement, tout à coup, il a été là, à siffloter son

petit air, sous le cèdre qui faisait toujours le vent plus frais. Alors, tout s'est arrêté et je me suis arrêtée. Il a interrompu son sifflotement et il a dit :

— Bonsoir, mignonne.

en riant. Je suis restée là, dans ce vide du soir. Il s'est levé. J'ai sauté à travers la haie, je suis tombée, j'ai couru à travers champs. J'ai couru sans me retourner, j'ai couru et couru et encore couru. A la fin, je suis arrivée à la ferme du maire où elle travaillait toujours.

Elle dépamprait la vigne. Je me suis arrêtée non loin d'elle et je l'ai appelée. Elle a levé la tête, m'a regardée et a dit :

— Rentre à la maison.

Elle s'est remise à travailler. Elle travaillait pieds nus, mécanique, courbée, sans se relever d'un cep à l'autre. J'ai attendu un moment puis je me suis un peu rapprochée et j'ai encore appelé, plus doucement. Elle n'a pas répondu. Je suis partie.

Je suis rentrée lentement à la maison. Les glaïeuls sauvages fleurissaient rose au bord des champs de blé.

A la maison, je me suis assise devant la porte et j'ai étudié mes leçons. Quand j'ai eu fini, je suis allée dans le chemin, je me suis mise dans un creux de la haie et j'ai commencé à attendre qu'elle revienne. C'était un soir très long.

Pendant qu'elle se lavait les pieds dans la bassine d'eau tiède, je me suis assise sous la cheminée comme quand j'étais petite et j'ai dit :

— J'ai vu Ernest, le maçon, sous le cèdre du virage.

Elle a continué à nettoyer les crevasses de ses talons avec une allumette. J'ai encore dit :

— J'ai vu Ernest, le maçon, sous le cèdre du virage.

Elle s'est levée, est venue devant moi et m'a donné une gifle sur chaque joue. Elle s'est remise à nettoyer ses pieds. Je suis restée sous la cheminée, les joues en feu, le cœur fou.

Elle ne parlait pas. Parfois, le soir, elle pleurait.
Je me souviens. Je disais :

— Pourquoi tu pleures ?

Elle ne répondait pas. Je disais :

— Ne pleure pas.

Je voulais aller vers elle, lui dire :

— Moi, tu m'as.

Mais elle pleurait loin. Il y avait, partout,
beaucoup de silence, les saules fous de la rivière, les
aboiements des renards affamés sur la colline, et
elle qui pleurait loin et qui disait parfois :

— Et moi, je n'ai rien eu. Rien eu.

J'aurais voulu aller vers elle.

J'ai rencontré Pierre à la gare, une nuit, parce que mon train était arrivé trop tard, parce qu'il s'était endormi dans son train. Il avait dit :

— Je suis Pierre.

et moi :

— Je suis Marie.

J'ai marché vers lui dans les ornières des chemins jusqu'à la rue qui longeait l'océan sous les marronniers fleuris. Il a dit doucement :

— Marie. Je t'ai cherchée, Marie. Dans l'avion, je criais ton nom, mon esseulée, Marie.

et j'étais Marie.

Plus tard, il disait :

— Je te mènerai aux îles de l'enfance, dans le parfum des frangipaniers. Je te mènerai au fond des grottes où vient mourir la mer, dans l'ombre des jardins d'orangers sauvages. Nous dormirons avec le chant du vent dans les filaos des collines.

Il disait :

— Marie. Ma femme nous aurons un enfant.
et :

— Je n'ai plus peur. L'enfant, c'est la mémoire de la vie.

Il y avait longtemps déjà que la femme du maire était malade et que, avant le jour, elle partait chez eux travailler, qu'elle revenait tard dans la nuit avec des odeurs de bétail et de cuisine, si longtemps que les saules de la rivière avaient perdu leur nuage argenté de chatons. Il y avait longtemps aussi que le maçon attendait sous le cèdre.

Ce soir-là, j'étais assise près de la porte guettant les bruits de la nuit qui tombait. Elle ne rentrerait pas avant des heures. Elle quittait les champs lorsque le jour s'obscurcissait. Moi, je l'attendais derrière la porte, les aboiements des renards couraient sur la colline, les saules parlaient dans le vent.

Je me disais, pour mesurer le temps, ce qu'elle faisait. Elle s'enveloppait d'un long tablier gris et épais pour traire les vaches, elle s'asseyait sur le tabouret bas à trois pieds, maintenait avec ses jambes le seau sous le pis de la vache, trayait le lait qui moussait dans le seau et parfois la vache s'impatientait, soufflait fort ou lançait un coup de pied. Pendant ce temps, les veaux tétaient avec des bruits mouillés en donnant des coups de tête contre le pis de leur mère. Le chien regardait, venait lécher le lait répandu. Peut-être, avant de quitter la grange, elle allait voir Rose, ma vachette, qui poussait ses cornes tranquilles.

Ils mangeaient. Les enfants, des enjambés antipathiques aux yeux sales, et le maire, chacun à sa place accoutumée, elle à la place de la mère. Et moi, je l'attendais, derrière la porte, en écoutant le noir de la nuit. Peut-être, avant de coucher les enfants, elle disait de sa voix monocorde l'histoire des trois jolies jeunes filles, Rose, Marguerite et Violette, cette histoire lente où l'ogre attend.

Elle donnait aux chiens les restes inutilisables du repas, mettait d'autres restes dans la gamelle pour moi. Elle faisait la vaisselle, essuyait la vaisselle, la rangeait, chaque chose bien à sa place. Elle balayait la cuisine, jetait les ordures dehors ou dans le feu. Et le maire, devant le feu, la regardait, tranquille, et c'était comme une vraie famille.

Et puis, elle allumait le falot, éteignait le feu et partait. Elle traversait toute la nuit avec sa lampe qui se balançait et moi, derrière la porte, j'attendais le bruit de ses pas et son visage enfin, ses yeux clairs qui ne regardaient rien.

J'étais là, dans la maison fermée, à compter l'attente d'elle en me disant des choses pas vraies et des choses vraies.

Soudain, j'ai entendu les pas. Je me suis dressée, le cœur fou. Elle revenait tôt. La femme du maire était guérie. On n'avait plus besoin d'elle. J'avais le cœur fou. J'ai ouvert la porte et je me suis jetée dehors pour lui dire combien je l'avais attendue, et combien j'étais contente, contente.

Devant la porte, il y avait le maçon. Tout de suite, j'ai reculé. J'ai essayé de refermer la porte mais il était déjà entré, et, de toute façon, il n'y a pas de clé à la porte. A peine entré, il a dit :

— Bonsoir, mignonne.

et il a commencé à siffloter l'air du grand cèdre du virage. J'ai regardé pour m'enfuir et après je pouvais aller me cacher dans l'enchevêtrement des saules fous de la rivière, et personne ne m'aurait retrouvée parce que personne, pas même les chasseurs, ne vient jamais là. Mais c'était inutile parce que pour sortir il n'y avait que la porte et il était devant.

J'ai pensé à elle, de l'autre côté du village, occupée à traire des vaches inconnues, dans une maison inconnue, avec un chien de personne assis devant la porte. J'ai pensé que si elle ne sentait pas que je l'appelais, ce n'était plus la peine d'attendre jamais. Et c'était inutile de crier, la maison était si loin sous la colline et les arbres. Alors, je n'ai rien fait parce qu'il n'y avait rien à faire.

Quand il a eu fini de siffloter, le maçon a dit :

— Alors, mignonne, c'était bon, le curé ?

Je n'ai rien dit. Je me suis mise à espérer très fort qu'elle reviendrait tout de suite, qu'elle ouvrirait la porte et tout serait en ordre. Mais elle n'est pas revenue.

Le maçon a tiré la table contre la porte et puis il est venu vers moi en disant :

— Tu es une belle salope, comme elle. Une salope. Tu as goûté du curé, maintenant tu vas goûter du maçon, c'est meilleur, tu vas voir.

Je n'ai rien dit et j'ai laissé faire ces choses insupportables parce qu'il n'y avait rien à faire, non.

En partant, le maçon a dit :

— Une belle salope, comme elle.

Je suis sortie dans le noir et j'ai marché jusqu'à la rivière sous les saules qui grelottaient au vent.

Je me souviens du bruissement du vent dans les saules, des autres nuits, et d'elle, endormie sur le banc de la gendarmerie dans sa robe neuve toute fripée, du jeune abbé tout noir et tout seul.

Je suis descendue dans la rivière et je suis restée longtemps dans cette eau glacée qui coulait tranquillement dans le chant triste des saules, et, loin, les appels des grenouilles au bord des mares oubliées.

Lorsqu'elle est revenue, j'étais assise sur la chaise près de la porte. Je l'ai entendue venir de loin, à cause du piétinement de Rose, la vachette. Je me suis dit :

— Elle ramène Rose.

Elle a ouvert la porte et elle a dit :

— Va installer la vache.

Elle rapportait le panier plein de seigle frais. J'ai tiré Rose vers la remise. Elle avait du mal à avancer parce qu'elle ne connaissait pas et qu'il faisait noir malgré le falot. Peut-être elle ne voulait pas entrer. A force de tirer sur la laisse et de lui dire :

— Viens, Rose.

j'ai réussi à l'attacher à la place que je lui avais installée. J'ai mis l'herbe devant elle et je me suis assise à côté avec mon falot pour l'éclairer un peu. Elle a commencé à manger comme si déjà elle s'habituait à sa nouvelle demeure et, de temps à autre, elle levait la tête tout en mangeant ou bien elle soufflait fort comme font toutes les vaches du monde dans toutes granges. Son odeur forte emplissait déjà la remise. Je lui ai dit :

— Bientôt, tu auras le canard et le chien avec toi.

parce que j'ai pensé que si elle était une vachette sociable il se pouvait qu'elle regrette la présence de ses copines et qu'elle ait envie d'une compagnie. Moi, je ne suis pas comme ça, je n'ai pas l'habitude, mais Rose oui, peut-être.

Je suis rentrée. Il faisait froid partout. Elle avait mis mon repas sur la table et nettoyait ses pieds posés sur le bord de la bassine. J'ai commencé à manger, puis j'ai eu mal à l'estomac et je suis sortie en courant pour vomir dans l'herbe. J'ai vomi un grand coup et quand ça a été fini, j'ai vomi encore et j'avais l'estomac plein de crampes. Je suis restée un bon moment dehors à attendre que ça se calme.

Quand je suis rentrée, elle avait mis sur la table un bol de tilleul fumant. Je l'ai bu parce que j'étais glacée et aussitôt il a fallu que je coure dehors. A la fin, je me suis couchée. J'avais vraiment très froid.

Dans le lit, elle m'a prise contre elle pour me réchauffer et vite elle s'est endormie très loin. J'ai pleuré parce que j'aime pleurer. Je me disais à moi :

— On l'appelle Génie la folle.

ou bien :

— Tout est insupportable.

J'ai revu ma grand-mère dans son grand fauteuil entre la cheminée et l'armoire et je me suis sentie pleine de haine.

Au bout d'un moment à pleurer comme ça et à me raconter les choses insupportables arrivées, j'ai eu très chaud. Je transpirais, les draps étaient mouillés. Je me suis éloignée d'elle et j'ai ôté les couvertures parce que je ruisselais de sueur.

A l'aube, elle s'est réveillée, m'a touchée et a dit :

— Tu es malade.

Elle a préparé un autre bol de tilleul et un cataplasme de son. Je me suis endormie et à partir de là j'ai été longtemps malade.

C'était le soir que ces choses arrivaient, toujours les mêmes.

Durant tout le jour, j'écoutais le vent, proche ou lointain, qui sifflait sous les tuiles, tremblait dans les branches des saules de la rivière, ennuageait de sable blanc la colline aux renards. Je regardais par les vitres les branches lasses des saules se balancer ou s'agiter au vent.

Vers le soir, elle rentrait. La chaleur montait. Les saules, devenus énormes, se pressaient contre les vitres pour entrer dans la maison. Je me soulevais dans le lit, je m'appuyais au mur qui ployait comme un carton détrempé. La lampe vacillait. Dans le chemin le long de la rivière, les saules sortaient de terre les mains énormes de leurs racines. Je rampais pour leur échapper, je voulais crier. Des passants passaient tranquilles, parlaient, disaient :

— Elle a peur.

et ils marchaient sur moi sans me voir. Dans le village, les chiens sortaient au pied des maisons fleuries de géraniums, dressaient leur museau vers le ciel du soir et hurlaient dans les branches des saules.

Soudain, elle était là. Elle posait sur moi ses yeux clairs couleurs de larmes. Je disais :

— On s'en ira. On ira loin, dans les pays où les arbres touchent le soleil, où l'on se perd sans fin à la recherche des cyclamens sauvages dans les bois d'acacias.

Elle disait :

— Bois. Tu es malade.

Je buvais le tilleul et je disais encore :

— On s'en ira. On s'en ira.

Elle restait assise devant le feu. Quelquefois, elle se taisait. Quelquefois, elle commençait à raconter, de sa voix absente, l'histoire jamais finie des trois jeunes filles où l'ogre aimé devient beau prince.

Je m'endormais contre elle.

Elle me faisait des tisanes de tilleul, du lait chaud très sucré avec de l'eau-de-vie. Elle me préparait des inhalations à la fleur de foin, dans la marmite. Elle me posait des ventouses, elle me mettait des cataplasmes de son. Elle me séchait et me changeait lorsque je ruisselais toute de transpiration. La nuit, si j'avais froid, elle me prenait contre elle pour me réchauffer.

Je l'entendais sortir Rose le matin, la rentrer le soir. Quand la nuit était tombée, elle restait devant le feu, les mains abandonnées, à attendre rien. Quelquefois, tout en regardant le feu, elle racontait cette ancienne histoire des trois jeunes filles et de l'ogre. Elle s'éloignait très loin. Je me souviens de ces soirs où elle racontait pour personne, devant le feu.

Et puis, les choses arrivaient, toujours les mêmes,

et il n'y avait plus à se défendre contre elles, il y avait seulement à espérer avoir la force de les supporter dans tous ces soirs perdus.

Elle était devant le feu et je la regardais. Le carrelage se plissait lentement devant le lit, les murs de la maison s'approchaient, faisaient craquer le lit, l'enserraient de plus en plus étroitement. Des gravats tombaient et me recouvraient bientôt. J'essayais de me soulever, de crier, mais j'avais la bouche pleine de débris de plâtre. Je voulais repousser les murs, ils se défaisaient en décombres poussiéreux. Dans un effort surhumain, j'éclatais en cris.

Elle était là, soudain, et ses yeux clairs dissipaient les fantômes. Je disais :

— Maman. Ma mère.

et elle disait :

— Tais-toi.

Et puis, j'avais froid. Elle venait dans le lit, me prenait contre elle pour me réchauffer. Je m'endormais dans l'odeur laiteuse de transpiration.

Dès que j'ai pu me lever, je suis allée chez mon grand-père. Ma grand-mère lavait sous le grand paulownia. J'ai fait le tour de la maison pour passer loin d'elle et je suis entrée. Mon grand-père lisait dans ses vieux livres d'autrefois. J'ai dit :

— Grand-père.

Il a levé la tête et a dit :

— C'est toi petite.

et aussitôt, il a fouillé de sa main unique dans la musette qu'il portait toujours et il m'a donné une pomme jaune. Il a dit :

— C'est les pommes de la Saint-Jean. Mange, Marie.

J'ai commencé à manger et lui s'est remis à lire. Un moment, j'ai attendu qu'il se rappelle et puis j'ai dit :

— Je suis venue chercher le chiot. Je vais l'appeler Frêne, à cause du vent.

Alors il a expliqué que c'était trop tard. J'aurais dû venir bien avant, la grand-mère avait donné le chiot, maintenant.

Je lui ai dit, pour m'excuser :

— J'ai été malade.

Il m'a regardé puis s'est levé. Il est revenu avec une bouteille toute poussiéreuse :

— Bois-en un verre par jour. C'est un vin très vieux, il te fera du bien. Tu es bien maigre, petite.

Après un moment, il a encore dit :

— Elle aussi, elle était maigre. Tu lui ressembles. Mais elle, elle était toujours gaie, elle chantait du matin au soir. Après, il y a eu ce grand malheur.

Je suis partie avec ma bouteille. En passant près du puits de la grand-mère, j'y ai jeté le trognon de pomme. J'ai descendu au galop le pré vers les saules humides de la rivière. En passant près du puisard de la haie, je me suis penchée et j'y ai jeté la bouteille de vin vieux. Je suis allée voir Rose qui était attachée à un arbuste près de là et qui mangeait tranquillement. Je lui ai dit :

— Tu n'auras pas de chiot. La grand-mère l'a donné. Elle l'a fait exprès. C'est une teigne. Mais je t'apporterai un canard. Il s'appellera Benoît.

Rose a eu l'air contente.

Je me suis assise près d'elle et j'ai attendu qu'elle revienne. C'est ce soir-là que je me suis aperçue que

Rose était aveugle. Je suis restée près d'elle à lui parler de Benoît, du chiot qu'on aurait un jour et qui la conduirait, et d'elle, qui riait toujours, autrefois, quand je n'étais pas encore née. Rose ruminait tranquillement. Elle était belle avec ses taches blanches sur son pelage noir, et ses cornes têtues et sans doute elle ne savait pas que les autres animaux voient.

Quand elle est revenue, je suis sortie pour l'accueillir. Après le repas, pendant qu'elle nettoyait ses pieds dans la bassine, je lui ai dit :

— Rose est aveugle.

Au bout d'un moment, elle a dit :

— Je comprends pourquoi il nous l'a donnée.

Avant de me mettre au lit, je suis encore allée voir Rose. Je l'ai un peu caressée pour la consoler d'être aveugle mais je savais que c'était ridicule. Dans le lit, elle a dit :

— Il faut faire attention au puisard.

J'ai eu du mal à m'endormir. Je pensais à la vachette, au puisard sans margelle, à la rivière où elle pouvait tomber. Je ne pouvais m'empêcher de penser à des choses insupportables et à ses yeux troubles d'aveugle.

La lettre venait d'Hyères. J'ai compris avant
même de l'ouvrir. C'était une lettre officielle, dactylographiée, écrite par personne. Elle disait :

— Pierre était mort plein d'honneur et serait
enterré avec tous les honneurs qui lui étaient dus et
je pouvais assister à l'enterrement si je voulais et on
me disait quel jour et où il serait inhumé avec tous
ces honneurs.

J'ai marché dans les rues et je suis arrivée à la
gare où j'ai attendu, assise sur les marches, que
parte le train d'Hyères. Il faisait froid sur les
marches et les marronniers dressaient leurs gros
bourgeons sirupeux. Lorsque je l'accompagnais à la
gare, Pierre disait :

— N'aie pas mal, Poucet. Je reviendrai.

Il me prenait contre lui :

— Je t'emmènerai aux douces îles parfumées
d'ombres bleues et de soleil.

Il disait les étoiles blanches des frangipaniers, les araignées géantes qui tissent entre les arbres des toiles géantes, les oiseaux de paradis dans les grottes profondes.

— Je t'emmènerai loin et nous dormirons au jardin des pamplemousses, dans le murmure des filaos.

Lorsqu'il m'emmenait dans l'avion, il disait :

— Tu es ma terre. La terre est belle. Nous allons à cheval sur une étoile filante.

Et quand il partait :

— Poucet. Ma terre. Ma femme. Ne pleure pas. Je reviendrai.

J'ai pris le train d'Hyères et ils l'ont enterré.

Il y a eu la musique militaire et les saluts militaires, il y a eu les discours pleins de mots, c'était leur meilleur pilote d'essai, les couronnes pleines de rubans et de mots, moi et les soucis orange, une petite vieille toute en noir et Pierre devant, tout seul dans son cercueil. Je n'avais pas eu le droit de le voir. Et puis, Pierre n'aurait pas voulu que je le voie mort, déchiqueté. Il disait :

— Je n'ai plus peur, ma douce. Nous aurons un enfant. L'enfant, c'est la mémoire de la vie.

Mais il n'y aurait pas d'enfant.

Après le départ des militaires et du prêtre, le cimetière est devenu silence au soleil. Je suis restée un moment assise sur le tas de terre près de Pierre. La petite vieille en noir pleurait. Je pensais à Pierre qui disait :

— On aura un enfant. Je n'ai plus peur. L'enfant est la mémoire de la vie.

ou, sur le quai de la gare :

— Ma femme. Ma terre. N'aie pas mal. Je reviendrai.

Je suis allée voir les autres tombes bien ordonnées dans leur rang, avec leur pierre ornée de croix, leurs couronnes de perles, leur plantation de fleurs. J'ai lu les noms des morts, leur âge, regardé des photos d'enfants morts pour toujours. Puis j'ai voulu revoir Pierre, mais les fossoyeurs étaient là. Je suis sortie.

La petite vieille en noir attendait à la porte du cimetière, son sac au bras, ses vieilles mains posées l'une sur l'autre. Elle est venue vers moi et a dit :

— Vous êtes Marie.

J'ai dit :

— Oui.

Puis elle a dit :

— Moi, je suis sa tante. Il vous a parlé de moi. Je l'ai élevé depuis tout petit.

J'ai dit :

— Oui.

et on a marché sans rien dire, au soleil et sous les arbres, devant les grilles des jardins où les orangers défleurissaient. On est arrivées devant la mer et on s'est assises à écouter son bruit et le souffle du vent dans les pins.

On est restées longtemps sous les pins, face à la mer. Des grappes de mouettes jouaient dans le ciel soyeux. La petite vieille en noir pleurait sans bruit et ses joues frisées de rides étaient toutes vernissées de larmes. J'aurais pu tendre la main, caresser son visage en larmes. Elle est restée comme ça, à penser à des choses à elle et puis elle a dit :

— Il parlait toujours de vous. Il disait que vous veniez des îles. Quand il était petit, il voulait être explorateur d'îles. Mais ça n'existe pas, alors, il a voulu devenir pilote d'avion. Je n'ai pas pu l'empêcher. J'ai toujours attendu le jour où il aurait l'accident. Maintenant, c'est arrivé, il est allé rejoindre les autres. Il vous a raconté ça.

Pendant un moment, je n'ai rien répondu. Puis j'ai réfléchi et j'ai dit :

— Non. Il disait qu'il ne voulait pas raconter les choses passées.

137

Elle a expliqué qu'il n'en parlait jamais parce qu'il ne voulait pas se rappeler. Quand, à quatre ans, on a vu son père et sa mère mourir à cause de la guerre, on n'a pas envie d'en parler. Moi, je pouvais tranquillement parler, avec toutes ces îles au soleil où j'avais vécu mon enfance. Mais lui. Lorsqu'il avait voulu être aviateur, elle avait pensé que c'était pour voir les îles et après mourir comme son père et sa mère.

La petite vieille en noir se tait. Sa respiration se mouille. Le bruit de la mer monte, les appels enroués des mouettes sur l'eau et dans le ciel. Le vent emporte vers la ville le parfum d'algue et de pin.

La petite vieille a voulu savoir les îles. Je suis restée à regarder le mouvement de l'écume des vagues, à entendre la voix de Pierre qui racontait le parfum des frangipaniers, les grottes profondes où nichent les oiseaux rouges, les jardins d'orangers sauvages, le sable bleu des plages douces et l'eau de la nuit, le cri solitaire des crapeaux-buffles. J'ai pensé aux saules fous de la rivière, au grand paulownia qui berçait le ciel de ses grappes mauves et elle, qu'on appelait Génie la folle parce qu'elle ne parlait pas et parce qu'elle m'avait eue, moi que personne ne voulait.

Alors, j'ai dit à la petite vieille en noir ce que

Pierre disait et aussi les pleurs des chacals, la nuit, au bord des déserts, l'eau verte, transparente, atolls perdus dans l'océan, le silence des après-midi écrasés de soleil, et les palétuviers dont les racines sortent de terre en maisons géantes et qui grimpent jusqu'au ciel. Et puis, aussi, ces îles perdues où le vent est si sauvage que rien ne peut y vivre, jamais.

La petite vieille a écouté et elle a dit, après longtemps :

— Quand on a connu des choses comme celles-là, on peut en parler sans que ça fasse mal à personne.

Ensuite elle a parlé de Pierre.

Chaque soir, en rentrant de l'école, je détachais la vachette de son arbre ou de son piquet et je l'emmenais le long du chemin ou au bord des champs pour qu'elle broute l'herbe neuve. Je lui racontais des choses à moi.

Je lui parlais d'elle, de ce que le grand-père m'avait dit, qu'avant de m'avoir elle riait et chantait jour et nuit, et qu'après elle m'avait attendue et elle n'avait jamais voulu dire qui était mon père et la grand-mère, qui est une mauvaise femme, s'était mise en fureur parce qu'elle ne voulait pas que des choses comme ça arrivent dans sa famille qui est la plus honorable du village. Alors, elle était allée s'installer dans la cabane sous les saules fous qui parlent la nuit, et jamais elle n'était revenue chez elle et elle travaillait chez les gens pour qu'on la nourrisse, et ils l'appelaient Génie la folle parce qu'elle ne parlait pas, mais elle n'était pas folle, simplement elle ne parlait pas et ne riait pas.

Je racontais ces choses à Rose et j'étais contente parce que je pouvais lui parler tranquillement, sans peur. C'était une vraie copine. Pour la consoler d'être aveugle, je lui disais comment étaient certaines filles de mon école. Celle qui a, à une main, quatre doigts collés deux par deux et à l'autre trois doigts normaux et un pouce fourchu et pour écrire ce n'est pas commode. Celle qui a un pied tourné vers l'intérieur et elle court mal, en traînant son pied et si elle n'était pas si méchante, elle ferait pitié ; et son frère qui a des cheveux tout blancs et des yeux rouges et un autre garçon qui a les genoux tournés vers l'extérieur et il marche avec les jambes en losange et c'est tout une peine de le voir, heureusement, il est à l'école des garçons.

Rose écoutait en mangeant tranquillement. De temps à autre, elle bougeait ses oreilles velues ou soufflait fort comme pour prendre part à la conversation, ou agitait sa queue d'un air content.

Je lui apprenais à se guider à la voix. Je me mettais devant elle, à sa gauche et je disais :

— Viens, Rose.

et je la tirais vers ma voix. Je faisais pareil vers la droite. Je la faisais marcher vite, puis je disais :

— Doucement, Rose.

ou bien :

141

— Arrête, Rose.
et je lui apprenais à ralentir ou à s'arrêter.

Elle comprenait très vite parce que c'était une vachette intelligente. Elle écoutait tous les bruits et les reconnaissait. Elle savait s'écarter au bruit de la rivière et des saules fous de vent. Je lui faisais visiter la région pour qu'elle n'ait pas peur et qu'elle sache se diriger toute seule et bientôt elle a su. A partir de ce moment-là, j'ai été moins triste qu'elle soit aveugle, et elle aussi.

Quand la nuit tombait et que venait le moment où elle pouvait rentrer, j'allais à sa rencontre avec Rose. Je m'asseyais contre la haie. Rose restait là, tranquille, à attendre avec moi ou bien elle broutait encore un peu les herbes ou les feuilles, par gourmandise. J'attendais. Le temps ralentissait. J'essayais de parler encore à Rose mais je ne pouvais plus. Enfin, j'entendais son pas avant même de discerner son ombre. Je me levais. J'aurais voulu courir vers elle. Lorsqu'elle arrivait près de moi, elle disait :

— Rentre à la maison.

On marchait toutes les trois vers la maison, elle devant, puis moi, puis Rose, dans le chemin de nuit.

Le long du fleuve, les saules répondaient au vent. Elle allait devant avec son visage vide.

La petite vieille en noir est assise face à la mer et se rappelle. Elle a ses vieilles mains abandonnées sur son ventre. De temps à autre, sa respiration se mouille. Elle dit :

— On vivait loin, dans les montagnes. Les soirs d'hiver, on veillait dans les granges, près des vaches, pour avoir chaud. Quand il faisait si froid que les bêtes sauvages mouraient de faim, on mettait les poules dans la cuisine pour qu'elles ne soient pas dévorées. Les renards sentaient l'odeur et venaient hurler sous les fenêtres. On restait dans le lit à écouter ces hurlements et on avait la chair de poule car on comprenait bien qu'ils avaient si faim.

Elle dit :

— Au printemps, les garçons montaient très haut dans les montagnes pour apporter des edelweiss aux filles. On les entendait chanter loin, vers les sommets et on avait un peu peur qu'ils ne reviennent plus.

Elle dit que tous les jeunes rêvaient d'aller au Brésil. On parlait de ces pays où l'on mange sans peur de la viande à tous les repas et il y en a tant qu'on ne sait pas quoi en faire. Tous les jeunes rêvaient de partir là-bas. On leur payait le voyage. Ceux qui sont partis ne sont jamais plus revenus et ils n'ont jamais seulement écrit.

La petite vieille dit les printemps de son enfance. Elle raconte le bruit des vers à soie qui dévorent les feuilles de mûrier sur leurs claies. Ils achetaient les œufs. Ils les mettaient dans les lits des enfants et les enfants restaient couchés à couver les œufs jusqu'à ce que les vers soient nés. Tous les enfants du village couvaient les vers à soie et les rues étaient silencieuses.

Lorsque les vers étaient nés, ils les mettaient sur les claies superposées, et alors tous les enfants se juchaient sur les mûriers pour cueillir les feuilles et si les feuilles étaient humides, il fallait les faire sécher sinon les vers mouraient et c'était un grand malheur. Les vers mangeaient et mangeaient, et toute la maison vivait au rythme du crissement de leur faim, jour et nuit. Parfois, tout se taisait : les vers dormaient. Elle se rappelle un moment et dit :

— Ils étaient beaux comme des enfants.

Certains jours, il fallait nettoyer les claies. Ils

ôtaient tous les vers, nettoyaient, tapissaient les claies de journaux propres, remettaient les vers et tout reprenait, le bruit des mâchoires, nuit et jour, entrecoupé du silence des sommeils.

Puis, quand les vers avaient assez mangé, on leur mettait des branchages. Les vers choisissaient leur place et commençaient à s'enfermer dans leur cocon de soie. Il n'y avait plus qu'à attendre qu'ils soient complètement endormis pour ébouillanter les cocons. Ensuite les marchands venaient. La petite vieille dit :

— On était petits, on travaillait et on était contents. On était contents des mûriers bien verts, du bruit des vers à soie qui mangeaient et quand ils dormaient ça faisait vide comme si quelqu'un était parti. On était contents des veillées dans les granges, et les voisins venaient. Les hommes parlaient à voix basse de politique, les femmes tricotaient ou reprisaient. Oui. On était contents. Quand Pierre est né, ce n'était plus pareil, déjà. On était trop pauvres. Et puis, il y a eu la guerre. Après, le petit n'a jamais plus été pareil.

Elle se tait. Le bruit de la mer monte, le vent frais dans les pins, les cris des mouettes. Elle se rappelle :

— J'entends toujours la voix du petit Pierre. La nuit, je me réveille encore. Je l'entends dire :

bouche-moi les oreilles mamétoune, bouche-moi les oreilles. On courait sur les routes et les avions bombardaient, lui, il disait : bouche-moi les oreilles, mamétoune. La nuit, je l'entends. Après tout ça, il n'a plus jamais été pareil. Quand on a vu sa mère pendue, son père mort dans un ruisseau et qu'on a couru sous les bombardements, on n'a plus envie de parler et de rire. Vous, ce n'est pas pareil. Vous étiez dans les îles.

Je ne dis rien. Je pense à elle, qu'on appelait Génie la folle, jamais autrement. La petite vieille pleure doucement, les mains abandonnées, face à la mer.

— Quand il était petit, il est allé au cirque, une fois. C'était le premier cirque, juste après la guerre. Après ça, il voulait être clown. Je disais : ce n'est pas un métier. Et c'est vrai que ce n'est pas un métier. Mais lui, il voulait être clown. Il disait qu'il partirait très loin, dans une roulotte, avec un cheval, tout seul, et il ferait rire les enfants. Il jouait à être clown. Je le vois comme s'il était là. Il mettait les habits du grand-père, le chapeau, et restait dans la cour, les bras en croix. J'allais le chercher. Il répondait : je suis l'épouvantail à moineaux. Et moi, ça me faisait pleurer de voir ces idées qu'il avait. Et puis, il est mort. Tout le monde est mort.

Au printemps, j'allais parfois dans les fermes, le jeudi. Je coupais les chardons qui avaient résisté aux désherbants dans les blés. Je parcourais les champs, pieds nus, avec un bâton terminé par une lame et je coupais les chardons. Le blé luisait au soleil et le soleil faisait tourner la tête.

D'autres fois, à l'époque des couvées de poussins, de canetons, d'oisons, de dindonneaux, il fallait chasser les oiseaux de proie. Je restais immobile à surveiller le ciel. La buse ou l'épervier ou le milan surgissait des bois, planait dans le ciel au-dessus des couvées. Les mères s'affolaient, appelaient leurs petits à grands piaillements. Les petits accouraient se réfugier sous les ailes ouvertes des mères. Moi, je devais crier très fort pour que l'oiseau s'effraie et s'en aille. Le plus souvent, il s'en allait. Il arrivait cependant qu'il reste là, malgré mes cris, immobile dans le ciel, puis qu'il fonde soudain vers la terre et reparte à grand vol vers les bois, sa proie piaillante entre les serres.

A midi, je mangeais dans la ferme. Les gens parlaient. J'aidais à faire la vaisselle, à balayer la cuisine cependant que les gens buvaient le café.

Avant de reprendre le travail, si elle travaillait non loin de là, j'allais au bord des champs pour essayer de l'apercevoir. Les champs étaient vides. J'attendais un moment puis j'allais voir d'autres champs. Enfin, je repartais. Tout l'après-midi, j'attendais que vienne le soir, que j'aille à la maison, qu'elle revienne.

Parfois elle était dans les champs, penchée vers la terre. Mon cœur se serrait, je courais vers elle à travers les terres. Je m'arrêtais près d'elle, je l'appelais doucement. Quelquefois elle continuait son travail. Quelquefois elle se redressait, me regardait et disait de sa voix morne :

— Va travailler.

Ensuite, elle se penchait de nouveau vers la terre. J'attendais un moment, mais je savais bien qu'elle ne voulait pas que je sois là. Je repartais lentement à travers champs.

De nouveau, je surveillais les oiseaux de proie, je coupais les chardons sous le soleil, j'attendais que vienne le soir, qu'elle arrive dans le chemin avec

148

son panier, qu'elle mange en silence, qu'elle nettoie en silence les crevasses de ses talons, qu'elle se couche et, peut-être, me prenne contre elle.

Enfin, le soir venait. Je rentrais à la course. J'attendais son retour dans le chemin, assise sous l'églantier aux branches retombantes. Dès que j'entendais son pas, je me dressais, le cœur fou. Arrivée près de moi, elle disait :

— Rentre à la maison.

et je rentrais derrière elle, avec Rose.

Je voulais toujours lui dire que j'étais là à l'attendre, que j'étais si contente, si contente qu'elle soit revenue ce soir encore, que moi je l'aimais. Mais elle avait le visage plein de silence.

En été, les oncles, les tantes, et les cousins venaient passer leurs vacances dans la grande maison de la grand-mère. Les cris et les rires jaillissaient de la colline, s'égaillaient dans la vallée jusqu'au plus sombre des saules, remontaient sur la colline blanche des renards où j'allais parfois errer. Les chaises longues s'éparpillaient autour de la maison de ma grand-mère, sous le chêne, sous le grand paulownia depuis longtemps défleuri. Les cousines s'ensoleillaient, couchées dans l'herbe des prés. Je grimpais sur la colline et je regardais.

Parfois, aux temps d'avant l'abbé tout seul dans sa soutane noire, d'avant les gendarmes et les journalistes qui posaient des questions et moi je disais :

— Non. Non.

d'avant le maçon sous le cèdre du virage et dans la

maison, j'allais en été chez la grand-mère. Dès que j'ouvrais la porte, les visages riants se tournaient vers moi, me reconnaissaient, se taisaient. Je me mettais auprès du grand-père qui lisait toujours, dans de vieux livres tachés d'humidité, l'histoire des lointains rois, morts de grande folie, ou l'histoire des hommes de l'enfer, de cet infortuné qui brûlait éternellement pour avoir dévoré ses enfants. Je disais :

— Grand-père.

Il levait lentement ses yeux de sur son livre, disait :

— C'est toi, petite.

il me donnait des noix, des noisettes ou une pomme et disait :

— Mange petite.

Je me souviens de cela, du silence et de la grand-mère qui disait aux autres :

— Elle vient espionner.

et moi j'étais petite.

Je sortais. La porte à peine refermée, les rires et les voix emplissaient la maison, comme une musique. Je mangeais la pomme derrière la maison, près du puits, où je cassais les noisettes ou les noix avec un caillou sur la margelle, je jetais le trognon de pomme ou les coquilles dans le puits de la grand-mère. Je dévalais en courant le grand pré vers les saules qui parlaient au vent.

Lorsque j'arrivais à la maison, si elle était là, elle disait :

— Je ne veux pas que tu ailles là-haut.

A la fin des jours de grande chaleur, quand l'air fraîchissait un peu, il arrivait que les tantes, les oncles et les cousins descendent le grand pré vers la rivière avec des paniers et des sièges pliants. Ils s'installaient au bord de l'eau, se baignaient, mangeaient, riaient et toute la rivière, les saules et, plus haut, les peupliers retentissaient de ces bruits.

Elle semblait ne rien entendre, continuait à s'affairer le regard vide, loin de tout.

Certains soirs, les cousins et les cousines passaient près de notre maison, avec l'air de ne pas la voir. Ces soirs-là, je grimpais sur la colline aux renards, je m'asseyais dans les broussailles et je jouais avec le sable blanc, ou bien près d'un trou de renard et alors je me racontais l'histoire d'un renard qui sortirait de son terrier si j'attendais assez longtemps et je l'apprivoiserais, il me suivrait partout. Mais je savais que ce n'était pas vrai parce que les renards ont plusieurs sorties à leur terrier. Je cherchais les nids de corbeaux, je me disais comment je les apprivoiserais aussi, je leur apprendrais à parler, à rester perchés sur mes épaules ou

152

sur ma tête, et tous, les renards, les corbeaux et moi, on s'aimerait tranquillement, comme des familles heureuses.

Lorsque les tantes, les oncles, les cousins et les cousines repartaient avec leurs paniers et leurs sièges pliants, je courais vers la maison et j'allais vers elle, la cœur fou de tristesse et de joie. Je m'arrêtais tout près d'elle. Elle travaillait, toujours pareil, et à la voir, je pensais que rien n'était venu troubler l'eau qui coulait doucement, ni la voix des saules dans le vent.

Rose, ma vachette devenait de plus en plus belle et son poil brillait au soleil, était doux au toucher. Elle reconnaissait les voix, levait la tête et s'approchait dès que je l'appelais. Elle savait se guider seule depuis longtemps. Personne n'aurait su voir, lorsqu'elle marchait derrière moi, tranquille et assurée comme une heureuse petite vache qu'elle était, qu'elle ne voyait pas. Elle l'oubliait et, moi aussi, je l'oubliais, c'est vrai. On était si contentes toutes les deux qu'on n'avait plus le temps de penser aux choses tristes.

C'est à la fin du printemps que j'ai ramené le canard Benoît. Un jeudi, en sortant d'une ferme où toute la journée j'avais sarclé du maïs et j'avais très mal au dos, j'ai rencontré un caneton perdu qui appelait sa mère. Je l'ai pris et aussitôt il s'est calmé, heureux. Alors, j'ai pensé à Rose toute seule autour de la vieille maison et à qui j'avais promis de ramener un petit canard. Je suis sortie de la ferme avec Benoît dans les bras, sans même me retourner pour savoir si quelqu'un me voyait. Personne ne m'a rien dit, jamais.

En arrivant à la maison, je suis tout de suite allée montrer Benoît à Rose. Rose a eu l'air contente et Benoît s'est mis à bavarder.

A la tombée de la nuit, quand le temps est arrivé où elle pouvait revenir, je suis partie dans le chemin, à sa rencontre avec Rose en laisse et Benoît dans les bras. Je me suis assise sous l'églantier et j'ai attendu. Benoît voulait s'échapper, je l'ai retenu parce que j'ai pensé qu'il lui faudrait du temps pour s'habituer. Je lui ai expliqué, et je lui ai promis, qu'après, quand il serait habitué à sa nouvelle maison, je le mènerais à la rivière, aux ruisseaux et aux mares pleines de grenouilles et de roseaux fous. Je lui ai dit qu'il dormirait dans une caisse garnie de paille, près de Rose, et, quand il serait grand, qu'il pondrait où il voudrait. Il écoutait, la tête penchée, et puis, dès que je me taisais, il recommençait à crier pour appeler sa mère et ça me faisait triste, dans ce chemin, sous l'églantier, avec la nuit qui tombait et elle qui ne rentrait pas.

A la fin, j'ai entendu ses pas, je me suis dressée

dans le chemin avec Benoît qui n'arrêtait pas de crier. Lorsqu'elle a été près de moi, j'ai dit :

— J'ai ramené un petit canard pour tenir compagnie à Rose.

mais elle le voyait bien. Elle a continué à marcher et j'ai vu combien elle était fatiguée parce qu'elle aussi était restée dans les champs de maïs à travailler sans arrêt. En arrivant à la maison, Benoît piaillait toujours. Elle a dit :

— Il a faim.

et elle lui a préparé de la salade hachée avec des œufs durs écrasés. Benoît a bien mangé.

J'étais contente comme tout et je me suis mise à beaucoup parler. Je lui ai dit comme la vachette et le canard seraient heureux. Le canard barboterait dans la rivière, Rose mangerait l'herbe et moi je les surveillerais entre les saules. Et puis, un jour, Rose aurait des petits veaux, Benoît couverait ses œufs et la maison serait pleine d'animaux et tout le monde serait content.

Elle n'a rien dit et je voyais combien elle était fatiguée d'avoir travaillé toute la journée dans les champs de maïs. Elle s'est endormie tout de suite et moi, je n'arrêtais pas d'imaginer tous ces animaux qu'on aurait à la maison, le bruit gai que ça ferait et, quelquefois, il faudrait sûrement se fâcher pour qu'ils se taisent. Je pensais à elle avec ses yeux

156

mornes et j'aurais beaucoup voulu la réveiller pour lui parler encore de tous ces animaux, pour qu'elle me prenne un peu contre elle comme elle le faisait parfois et que je dorme enfin.

Le lendemain soir, elle a rapporté dans son panier du maïs et de l'orge moulus pour Benoît. Je suis allée vers elle pour lui parler mais elle avait ses yeux loin et elle a dit, comme d'habitude :

— Rentre à la maison.

Je suis rentrée avec Benoît et Rose.

Souvent, je me souviens des jours et des soirs que j'ai passés avec Rose, ma vachette, et le canard Benoît. Benoît s'était bien habitué à la maison, à Rose, à moi et à elle. Il nous suivait partout parce que c'était un canard qui aimait la compagnie, exactement comme certaines personnes mais pas moi. Il mangeait l'herbe, les graines des prés et des haies, les insectes et, le soir, du maïs ou de l'orge. Quand il était repu ou, de temps en temps, entre deux coups de bec, il bavardait d'un air content. Il aimait beaucoup bavarder comme ça. Et moi, j'étais contente. Il grandissait à vue d'œil et ses duvets d'enfance se recouvraient, sur le dos, les ailes et la queue, de plumes dures et brillantes qu'il s'amusait à ébouriffer et à lisser tour à tour. Je le menais à la rivière, je le menais aux mares bordées de roseaux et de joncs fous, et Benoît jouait dans l'eau cependant que Rose broutait tranquille et, moi, je les regardais, tranquille, en effritant des feuilles de menthe sauvage.

Oui. C'était de belles journées.

Parfois, j'apercevais entre les arbres la maison blanche de la grand-mère, en haut de la colline, qui regardait, avec son cyprès noir dressé vers le ciel, son vaste chêne frisé et le grand paulownia sous lequel je n'allais plus me coucher.

Le soir, on montait dans le chemin à sa rencontre. Je m'asseyais sous la haie et je regardais le chemin dans le crépuscule pour y deviner son ombre. Pour essayer de ne plus attendre et pour faire aller le temps plus vite, je racontais des histoires à Rose et à Benoît. Je racontais l'histoire des belles princesses qui montent sur les tours crénelées si hautes qu'elles arrêtent les nuages, des tours, où les nuits s'épaississent de cris, où les jours empoussièrent les ombres des chemins, des jours de désert où ceux qu'on attend arrivent trop tard. Je racontais surtout l'histoire de Pénélope qui use ses yeux dans les cavernes sombres, et celle de Lorelei qui monte sur les rochers les plus hauts et tend les bras vers le tumulte des eaux rhénanes, d'Ophélie, amoureuse des nénuphars, qui fuit, allongée dans l'eau laiteuse des rivières et il ne reste que le sillage de ses cheveux d'or.

Je racontais et si je ne savais plus, j'inventais, et cependant j'attendais qu'elle revienne. J'avais peur qu'elle nous abandonne là, seuls dans ce chemin avec la nuit partout.

Enfin, elle arrivait. Je me dressais vers elle. Elle arrivait près de moi avec son panier au bras et disait :

— Rentre donc à la maison.

Brusquement, cet été-là, les pluies ont cessé, comme disparues. Les récoltes se sont flétries, les arbres sont devenus gris de soif et la terre s'est ouverte en larges crevasses béant vers le ciel. De la rivière il n'est resté que le lit cailouteux, encombré de vieilles bouteilles et autres ordures que les gens y avaient jetées du temps où il y avait de l'eau. Des chiens erraient dans son lit à la recherche d'un point d'eau.

Elle n'a presque plus travaillé. Les hommes s'étaient retirés au plus sombre des maisons et ne sortaient que pour interroger le ciel blanc qui jetait sur la terre sa chaleur de ciment.

Lorsque, à chaque repas, on a mangé des confitures, j'ai compris que les provisions étaient épuisées. Elle demeurait devant la maison, assise, les mains dans les mains, sans rien regarder.

161

Je prenais l'eau du puisard pour Benoît et pour Rose. Un jour elle a dit :

— Le puisard est presque à sec.

Alors, j'ai commencé à errer de mare en mare, Benoît assoiffé dans les bras, à la recherche de l'eau. Je laissais Rose autour de la maison à brouter l'herbe rare. Les mares, taries depuis longtemps, ne montraient qu'un fond d'ancienne vase craquelée à la surface de laquelle les grenouilles étaient venues se dessécher face au soleil dément. Les prés étaient gris et terreux.

A la maison, il y avait de moins en moins d'eau dans le puisard. Elle la filtrait dans la carafe avec un mouchoir. Un jour, elle a dit, en regardant le canard devenu terne et déplumé :

— Il va mourir.

J'ai réfléchi longtemps. Le soir venu, à l'heure où les gens se groupent autour des tables, j'ai pris Benoît dans les bras et je suis allée dans une ferme ravitaillée par le château d'eau du village. J'ai posé Benoît dans la cour près d'un pneu de tracteur ouvert et rempli d'eau. Aussitôt, il a bu puis s'est couché dans l'eau et a commencé à s'ébattre de joie. Je suis rentrée.

Un autre jour, elle a dit :

— On n'a plus rien à manger. Il faut vendre Rose.

Aussitôt, mon cœur est devenu fou et c'était comme si la terre et la maison et les arbres faisaient la toupie. Quand j'ai été un peu calmée, j'ai dit :

— Mais il va pleuvoir, bientôt.

Elle n'a rien dit pendant un moment et puis elle a répondu :

— Même s'il pleut, c'est trop tard.

De nouveau le monde faisait la toupie folle.

J'ai dit :

— Elle est aveugle. Personne n'en voudra.

Elle a dit :

— A la Borderie, ils la prennent.

J'ai pensé à toutes ces vaches de la Borderie, aux chiens aboyant sans cesse avec toutes leurs dents baveuses dehors. J'ai dit :

— Elle est aveugle. Elle ne comprendra pas ce qui arrive. Elle ne pourra pas comprendre et se défendre, aveugle et tout comme elle est.

Elle n'a plus rien dit et je savais bien que ce n'était pas sa faute ce temps, le ciel fou, le soleil fou et sur les champs toutes les récoltes grillées, les arbres brûlés de chaleur et la terre ouverte en larges crevasses, les grenouilles desséchées à la surface des mares et dans les joncs roux, face au ciel blanc. J'ai pensé à Rose, seule au milieu de toutes ces vaches étrangères qui l'attaqueraient et elle ne saurait pas se défendre puisqu'elle ne voyait pas, à Rose, poursuivie par ces chiens sauvages et ne sachant pas où aller se réfugier.

Le soir, quand elle s'est couchée, je me suis mise contre elle. J'ai mis ma tête au creux de son cou et j'ai pleuré sur Rose parce qu'il n'y avait rien à faire ni à comprendre. Elle a dit :

— On ne peut pas faire autrement.

mais moi je pleurais dans son cou, je ne pouvais plus m'arrêter. Elle s'est endormie.

Le lendemain, elle a mené Rose à la Borderie.

Les jours et les soirs ont commencé sans Rose ni
Benoît. Elle restait devant la maison, les mains
dans les mains, à regarder rien, devant elle.

Parfois, tandis qu'elle restait là face aux saules
silencieux de la rivière desséchée, j'allais errer aux
abords des terres de la Borderie pour essayer
d'apercevoir Rose. Je regardais de loin les trou-
peaux de vaches avec les chiens dans les prés gris de
soif et puis je m'en allais. Je ne savais pas si Rose
était encore là.

D'autres fois, j'allais sur la colline aux renards.
Le sable blanc brûlait les pieds. Sur les arbustes, il
ne restait que les épines. Je cherchais les signes de
vie des lapins sauvages, des renards, des corbeaux
et des pies. Il n'y avait rien, que le sable blême, les
arbustes nus et cette chaleur blanche et silencieuse
de la terre et du ciel.

Je voyais, au sommet de l'autre colline, la grande maison de la grand-mère qui semblait regarder vers moi avec son cyprès noir pointé vers le ciel blanc. J'aurais voulu aller sous le paulownia voir s'il mourait de soif. C'était l'époque où les tantes et les cousines de la ville venaient passer leurs vacances. Si j'entrais dans la maison, ils feraient silence et dans ce silence, la grand-mère dirait :

— Elle vient espionner.

Parfois, aussi, je suivais le cours de la rivière à la recherche de l'eau. Mais nulle part il n'y avait d'eau. Je regardais les détritus que les gens avaient jetés. Je les fouillais avec un bâton, pour rien, pour voir.

Lorsque je rentrais, elle était toujours là, devant la maison, les mains abandonnées ou, si c'était l'heure des repas, dans la cuisine à faire à manger.

Un matin, elle est partie avec le seau vers les fermes ravitaillées par le château d'eau. Elle est revenue avec de l'eau propre. Depuis ce jour, chaque matin elle est allée de ferme en ferme avec son seau mais on lui en donnait peu parce que l'eau était rationnée. On lavait le linge dans l'eau sale du puisard.

On avait le visage et les yeux gris comme la terre assoiffée.

Un soir, l'orage est venu. Le tonnerre, qui éclatait au niveau du sol, a épouvanté la région. Les pluies ont ruisselé en fleuves sur les terres trop sèches.

On a regardé l'eau tomber du pas de la porte et puis je me suis mise dehors et j'ai dansé sous la pluie en chantant à tue-tête. Et puis, l'eau est entrée dans la maison et il a fallu faire des barrages devant la porte, nettoyer ensuite la vase entrée dans la cuisine. On était contentes de travailler et de voir de l'eau. Elle avait repris son visage normal.

Deux jours après, l'eau a commencé à couler dans la rivière, les saules à parler dans le vent.

De nouveau, elle est allée chez les gens préparer la terre, semer les haricots, sarcler les haricots, les arroser, et la vie a recommencé comme avant. Quelquefois, j'allais avec elle. Le soir, elle rapportait dans son panier des pommes de terre, des boîtes de conserve, quelquefois une vieille poule fatiguée, parfois de vieux vêtements. Tout comme avant.

Je l'attendais pareil dans le chemin. Lorsqu'elle tardait, je ne savais plus si elle reviendrait après tous ces jours de faim et de soif. Elle revenait enfin.

Un soir, j'ai dit :

— On pourrait reprendre Rose et Benoît.

Elle a dit :

— On n'a plus assez d'argent.

J'ai bien compris que Rose était perdue pour toujours.

A l'époque des vendanges, les choses ont eu l'air de redevenir comme avant la sécheresse. Tous les jours, elle partait dans l'aube argentée de rosée avec son panier. En partant, elle disait :

— Dors encore.

mais je me levais. Je mangeais mon bol de pain et de café au lait en imitant ses gestes, je balayais la cuisine et poussais loin du seuil les ordures, je rangeais la vaisselle dans la grande armoire.

Je quittais la maison avant l'heure. Je faisais des détours à travers champs pour la voir dans les vignes. Le plus souvent elle y était seule à cette heure. Elle était accroupie sous les ceps. Le chagrin fondait sur moi. Je voulais aller vers elle et lui dire que je l'aimais. Mais elle aurait dit :

— Va-t'en d'ici.

Je regardais seulement et puis je rejoignais le

chemin de l'école entre les haies détrempées de rosée.

Le soir, je la rejoignais dans les vignes. Les vendangeurs parlaient et riaient par-dessus les rangs, dans l'odeur sucrée du moût, le grésillement des abeilles autour des cuves. Elle travaillait sans relâche.

Quelquefois, on l'envoyait dans les champs de maïs couper la cime des plants pour les vaches. Le maïs était maigre et desséché, cette année-là. Elle coupait les cimes, en faisait des tas et je l'aidais en portant les tas au bord des champs. On avait les cheveux pleins de débris de fleurs de maïs et les mains noires de charbon de maïs. Au bout d'un moment, elle disait :

— Rentre à la maison.

Je restais encore un peu. Puis, je retournais à la maison. Je m'asseyais par terre devant la porte, comme elle du temps de la sécheresse, et j'étudiais mes leçons. Quand j'avais fini, j'allais dans le chemin, vers elle qui rentrerait au bord de la nuit. Je m'asseyais sous les églantiers vides de fleurs. J'écoutais les saules dans le vent. J'attendais dans le soir qu'elle revienne, son ombre, son pas fatigué. Les branches bavardes des saules s'affolaient.

Le jeudi, je pouvais aller avec elle aux vendanges. C'étaient des jours heureux. L'automne devenait

doux, doux le grésillement des abeilles autour des
cuves, l'odeur du raisin qui fermentait, doux les
rires des hommes et des femmes dans les vignes. Les
enfants jouaient. Je restais près d'elle. On remplis-
sait les paniers que les hommes vidaient dans les
hottes et quelquefois, ils disaient :

— Ça va, Génie la folle ?

A midi, on mangeait sous les hangars. On
mangeait sans peur, à satiété. Elle se taisait et les
gens parlaient haut. On reprenait les vendanges en
laissant derrière soi les rangs dévastés d'où, déjà,
les feuilles arrachées s'égaraient. Elle travaillait en
silence et quelquefois on lui disait :

— Alors, Génie la folle, ça va ?
et elle travaillait, et, moi, j'étais contente.

Quand venait le soir, on allait dans le maïs
couper la cime des plants. Je sortais les tas au bord
des champs et plus tard les hommes venaient les
prendre avec le tracteur. Elle était là, les cheveux
mêlés de débris de fleurs de maïs, les mains noircies
de charbon. Je la regardais et je voulais lui dire
combien j'étais heureuse qu'on soit là toutes les
deux à travailler tranquillement dans le champ de
maïs, loin des autres.

Les hirondelles couvraient les fils électriques, je
me souviens. Les marronniers perdaient leurs mar-
rons luisants. J'allais sous les noisetiers et je

171

mangeais des noisettes, sous les noyers et je mangeais des noix. S'il y en avait beaucoup, je les mettais dans son panier et on les gardait au grenier pour l'hiver. Les figues étaient belles. Les fermiers nous en donnaient.

On restait dîner. Elle aidait à traire les vaches, à vider les cuves dans les cuviers. J'attendais non loin d'elle dans la pénombre parcourue de chauves-souris.

On rentrait. Elle avait dans son panier des figues, des prunes qu'elle faisait sécher dans les claies au soleil sur le toit de la maison, des raisins qu'elle suspendait à des fils accrochés au plafond, parfois du moût dont elle faisait des confitures, des pommes qu'elle mettait au grenier et qui sentaient bon tout l'hiver. Le soir, la maison sentait le sucre. Des odeurs caramélisées stagnaient dans les coins, dans l'armoire, sous la cheminée, flottaient autour de la maison et jusqu'au bord de la rivière dans le bruissement incessant des saules.

Il y a eu ce jeudi où c'est chez Antoine qu'on a vendangé. Je n'ai pas remarqué ce jour plus que les autres, sur le moment, parce que rien jamais n'avertit qu'on est en train de vivre un jour particulier, un commencement et une fin, ni même si c'est un commencement heureux parce que certaines choses ont l'air normales ou heureuses et après on voit qu'elles deviennent terribles.

Ce que je sais, c'est que ce jour-là elle n'a pas travaillé dans les vignes mais à la cuisine. La sœur d'Antoine venait de mourir et il n'avait plus personne pour la maison.

Je me souviens aussi des hirondelles sur les fils, de la brume épaisse du matin qui faisait les saules cotonneux, du soleil qui a surgi, des gouttes de rosée sur les toiles d'araignée de la nuit. Je me souviens de ces choses parce que je les aimais. Il y a

173

eu, aussi, le grand troupeau de vaches de la
Borderie enfermé dans sa clôture électrique et
parmi elles, peut-être, Rose, mais comment savoir.
Elle, elle marchait devant comme toujours, avec
son panier en bois et son sac de jute et moi, derrière,
je devais presque courir pour la suivre.

Antoine nous attendait. Dans la cour de sa
maison, le tracteur et sa remorque chargée de la
cuve et des paniers attendaient les vendangeurs.
Antoine lui a dit ce qu'elle devait faire pour le repas et
tout de suite on est allées dans les champs ramasser
les légumes et on a écossé les haricots blancs pour
faire les haricots au mouton. On travaillait et on
était bien toutes les deux, et Antoine était gentil. Il
était là dans la cuisine à parler en attendant les
autres.

Le soir, après le souper, la vaisselle faite, les
cuves vidées, le vin bu, il a rempli plusieurs
bouteilles de vin et il a dit :

— C'est pour toi, Génie.

et il a voulu nous raccompagner avec sa voiture.
Elle a dit :

— Non.

parce que personne ne nous raccompagnait jamais
à la maison et que les voitures ne venaient pas chez
nous. Mais il a insisté. Il a dit que ce n'était pas un

soir ordinaire et finalement on s'est assises dans la voiture et il nous a ramenées.

Il parlait beaucoup avec des tas de gestes. Dans le chemin qui conduit chez nous, il a dit que vraiment ce n'était pas un endroit pour vivre, chez nous, avec tous ces saules partout et cette colline pleine de broussailles, de renards affamés et de sable qui ne sert même pas pour faire des maisons. Elle ne disait rien et je sentais bien toute cette fatigue où elle était.

Antoine est rentré dans la maison avec ses bouteilles de vin. Il a regardé partout autour de lui, la vieille armoire, le vieux lit, la table avec des pierres sous les pieds parce que les pieds étaient mangés de vieillesse. Il a dit :

— Ce n'est pas une maison pour vivre ici.

et puis :

— Sors les verres, Génie. On va boire un coup.

et c'est là, pendant qu'il buvait, qu'il lui a demandé d'aller vivre avec lui. Il a dit qu'il y pensait depuis longtemps, qu'il avait hésité parce qu'on l'appelait Génie la folle, mais lui savait bien qu'elle n'était pas folle et tout le monde le savait, que de toute façon elle sortait de la meilleure famille du village, qu'elle était vaillante comme un homme, et côté cuisine, elle n'avait pas sa pareille dans toute la contrée,

175

pour lui c'était là ce qu'il regardait. Le reste, comment on l'appelait et tout ça, ma foi.

Elle est restée un moment à se taire et je sentais toute sa fatigue et moi je voulais qu'elle dise : non, et qu'il parte. A la fin, elle a dit ·

— Et la petite ?

Il a dit :

— J'y ai pensé. Bientôt, elle aura fini l'école. Elle ira travailler.

Alors, elle a dit aussitôt :

— Elle continuera l'école. Elle travaille bien, elle fera des études.

Il a dit que c'était difficile parce qu'il n'avait pas beaucoup de terres et ce serait bien si je rapportais vite de l'argent à la maison. Elle a commencé à laver les verres, à les essuyer et à les ranger. De nouveau, elle a dit :

— La petite ira à l'école.

Antoine est parti en lui disant de réfléchir encore, parce que c'était difficile ce qu'elle demandait, que, vraiment, ce n'était pas une vie de vivre dans une maison croulante, sous les buissons de saule, au bord d'une colline pleine de renards enragés, de corbeaux, et de bêtes mauvaises que personne ne connaît.

Le silence est tombé. La voix des saules a paru toute proche. Elle s'est occupée un moment à

176

nettoyer ses talons avec une allumette. A peine au lit, elle s'est endormie très loin. J'ai écouté sa respiration lourde, son odeur chaude et laiteuse de transpiration. J'ai essayé de nous imaginer toutes les deux dans la maison d'Antoine et tout le désespoir du monde m'a envahie. J'ai eu envie de la réveiller, de lui dire de rester avec moi dans la vieille maison, de rester toujours avec moi dans la maison, que moi, j'aimais les saules parleurs, les renards et les corbeaux de la colline au sable blanc, et le grand paulownia devant la maison de la grand-mère. Mais elle dormait si loin, au fond de toutes ces années de fatigue.

Pour me consoler, j'ai essayé de m'imaginer que j'allais à l'école, que j'apprenais toutes les choses que j'avais envie de savoir sur tout. J'avais de l'argent. Je revenais la reprendre dans la maison d'Antoine et je l'emmenais très loin de là, dans les pays de mer et de soleil éternel où l'on rit tout le jour, dans des pays où les vignes grimpent jusque dans le ciel, où l'on se perd sans fin, dans les forêts d'acacias, à la recherche du parfum des cyclamens sauvages. Un jour, bien plus tard, on revenait dans la vieille maison à l'odeur de confitures et on riait des voix folles des saules dans le vent.

Pour me consoler, j'ai dit, dans ma tête :

— J'irai faire des études en face de la mer.

et j'ai choisi La Rochelle à cause de l'océan et d'une photo que j'ai vue, le siège de La Rochelle, il y a longtemps. Aussitôt, j'ai eu envie de la réveiller pour lui dire de rester avec moi dans la vieille maison, toujours avec moi, et j'ai pleuré, parce qu'elle dormait si loin dans sa fatigue.

J'ai été réveillée en sursaut par le tonnerre. Les volets de la porte, qu'elle ne fermait jamais, claquaient contre les murs. Les saules sifflaient dans le vent. Je l'ai secouée et je lui ai dit :

— Il y a l'orage.

Elle a dit :

— Ce n'est rien. Dors.

Mais je ne pouvais plus. J'écoutais les fracas de l'orage. Et tout à coup ce sont des aboiements lointains puis plus proches que j'ai entendus. J'ai eu très peur. Je l'ai encore secouée et j'ai dit :

— Il y a plein de chiens autour de la maison.

et je pensais aux renards sauvages et aux bêtes dont parlait Antoine, des bêtes dont personne ne savait le nom. J'ai répété :

— Il y a plein de chiens sauvages autour de la maison.

179

Elle a encore dit :

— Ce n'est rien.

mais les aboiements déchaînés se rapprochaient et
on s'est levées. Les claquements de tonnerre et le
bruit des chiens se mêlaient au ruissellement des
trombes d'eau et à l'épouvante des saules. Soudain,
j'ai pensé à Rose. Soudain il m'a semblé que c'était
elle que les chiens poursuivaient. Sans le savoir,
j'avais toujours pensé que les chiens la poursui-
vraient comme ça, parce qu'elle ne ressemblait pas
aux vaches normales. J'ai dit :

— C'est Rose qui revient.

et juste alors, on a entendu une galopade. J'ai dit :

— Elle va tomber dans le puisard.

Aussitôt, je suis sortie et j'ai couru vers le
puisard. Rose y est arrivée avant moi. Elle n'a pas
pu le voir. Il y a eu un bruit d'éboulement de
pierres, un bruit sourd d'eau et des beuglements
fous, des beuglements d'appels fous, au milieu du
déchaînements des chiens. Moi, je me suis mise à
crier et à crier. Elle est arrivée et a dit :

— Reste là. Je vais à la Borderie.

et elle est partie en courant.

J'ai chassé les chiens à coup de vieilles pierres du
puits. Je suis restée près de Rose. Elle appelait
encore mais faiblement. Alors, pour qu'elle prenne
patience, je me suis mise à lui parler. Je lui ai dit

180

tout ce qui était arrivé depuis son départ, la faim et
la soif, les grenouilles mortes desséchées dans les
mares, écartelées face au ciel fou, Benoît, le bec
ouvert de soif, et elle, elle assise les mains dans les
mains devant la maison, ses yeux vides posés loin,
et puis Antoine qui voulait qu'elle aille chez lui et la
mer que je n'avais jamais vue, le soleil qui brûle
tout dans certains pays et même les visages, et puis
les cyclamens sauvages qu'on poursuit jusqu'à se
perdre dans les bois d'acacias, et les vignes qui
grimpent dans le ciel.

Pendant ce temps, la pluie frappait fort le sol, les
rigoles d'eau se déversaient en glougloutant dans le
puits et j'ai dit à Rose qu'elle était allée chercher du
secours et qu'elle allait la sauver, elle pouvait tout,
qu'elle patiente un peu seulement. Je disais :

— Attends un peu, Rose.

et Rose beuglait encore un peu. Je racontais
d'autres choses et le temps passait et je disais
encore :

— Patiente un peu encore, Rose.

et Rose s'est tue. J'ai eu peur et j'ai continué à lui
dire combien je l'aimais, combien j'étais contente
qu'elle se soit échappée pour revenir chez nous,
qu'elle resterait toujours maintenant, que moi
j'irais travailler et je me ferais payer pour la
racheter. Et quand j'avais fini, je lui redisais les

181

choses pour qu'elle prenne patience et la pluie s'est calmée.

Les hommes sont arrivés longtemps après avec un palan pour retirer Rose du puits. Ils ont éclairé le puisard et ont dit :

— Elle est morte.

Je suis allée dans la maison et j'ai attendu le jour en parlant à Rose, ma vachette aveugle, qui avait voulu revenir avec nous et qui était morte.

Après ce soir où Antoine nous a ramenées en voiture, tout le monde a voulu nous ramener en voiture. C'était toujours la même chose. On disait :

— Allez, Génie la folle. On te ramène.

Elle disait aussitôt :

— Non. Non. Je préfère aller à pied.

Mais les gens croyaient que ce n'était pas vrai, qu'elle préférait aller en voiture comme eux, qu'elle disait non pour ne pas déranger. Et pourtant, c'était vrai qu'elle préférait rentrer seule et moi aussi, je préférais. Mais personne ne voulait le croire. Ils disaient, avec des voix pleines de patience :

— Allons, Génie la folle, laisse-toi faire. Puisqu'on te le propose.

Elle disait :

— Non, je préfère aller à pied.

et à la fin, ils disaient :

— C'est comme tu voudras.

ou bien ils nous enfermaient de force dans une
voiture et ils nous ramenaient. Dans le chemin, les
roues des voitures écrasaient l'herbe, les fleurs, les
églantiers sauvages et le conducteur jurait beaucoup, disait qu'on n'a pas idée d'habiter des
endroits pareils. Elle ne disait rien et ses yeux
couleur de larmes regardaient le vide.

La maison paraissait très calme, très silencieuse.
On avait sur nous comme une odeur d'essence. Je
sortais un moment pour que le vent l'emporte, pour
écouter encore le bruissement des saules dans le
vent, l'eau de la rivière, quelquefois les renards et
les oiseaux cachés dans la colline.

On mangeait un peu et elle nettoyait la maison,
ses pieds, avant de se coucher. Elle s'endormait
vite, très loin et moi je ne pouvais pas dormir, je
pensais à ce qu'Antoine avait proposé, à toutes ces
voitures qui venaient écraser les églantiers sauvages
et rien n'était plus pareil.

C'est vers la Noël qu'Antoine est revenu. J'avais eu le temps de ne presque plus penser vraiment à toutes ces choses terribles du printemps et de l'été d'avant. Il pleuvait toujours. La terre et le ciel étaient pleins d'eau et de vase. Le jour ne se levait jamais. C'étaient les temps où elle partait dans la nuit, aux premières heures du matin, le panier au bras, le sac de jute disposé en capuchon sur la tête. Elle allait aider à tuer le cochon, ou gaver les oies et les canards, ou tuer et plumer oies et canards gras et le lendemain les vendre au marché de la ville et elle attendait longtemps debout devant ses volailles dans le froid et l'humidité au milieu d'autres femmes et de marchands. Le soir, elle rentrait pleine de boue et mouillée avec sur elle l'odeur graisseuse du cochon ou aigre des volailles et des vaches.

185

Certains jours, aussi, elle allait dans les bois faire les fagots et si c'était jeudi je la suivais. A midi, elle faisait un feu et réchauffait notre repas. S'il faisait très froid et c'était souvent, les oiseaux de l'hiver venaient se réchauffer au feu en bavardant tranquillement entre eux. Je me souviens de ces jours gris, du silence des bois où crissaient les feuilles mortes et retentissaient loin les coups de hache et le craquement des branches, d'elle et moi dans les bois à couper les branches, faire les fagots, lier les fagots, entasser les fagots. Je me souviens d'elle et moi aux aubes noires et aux crépuscules sombres.

C'est un de ces dimanches soirs sales qu'Antoine est revenu. Avant de le voir, j'ai entendu des pas gluants dans le chemin. J'ai couru voir parce que, d'ordinaire, personne ne vient jamais dans ces chemins. Dès que j'ai aperçu Antoine dans la lumière de la porte, j'ai dit :

— C'est Antoine.

et mon cœur faisait le fou. J'ai un cœur complètement fou, quelquefois.

Elle a continué son travail comme si elle n'avait pas entendu et j'ai eu envie de répéter pour la prévenir mais déjà Antoine était entré. Il a dit

— Salut, Génie. Sors les verres, j'ai du bon vin.

et il a tiré de son sac deux bouteilles empoussiérées. On a bu sans rien dire et puis il a dit :

186

— Ça, c'est du vin.

et il a fait claquer ses lèvres. Il s'est assis devant le feu et il a parlé de la pluie qui transformait les prés en marécages et pour le bétail ça devenait un problème. Il a encore parlé de notre maison loin de tout, au fond d'un chemin que même les animaux ne le prendraient pas et l'humidité de la maison, il n'y avait qu'à voir, les murs s'effritaient de salpêtre, c'est mauvais, et si un malfaiteur venait, elle y avait pensé à ça ? non, on n'y pense pas mais si jamais un malfaiteur passait elle pourrait toujours crier et crier qui est-ce qui entendrait, personne et avant qu'on pense à venir voir, elle aurait le temps d'avoir les os blancs, exactement comme ça, et ces corbeaux, ces renards partout sur la colline et quelquefois ils sont enragés et s'ils te mordent, adieu Berthe, c'est fini, et ce n'est pas une vie d'aller travailler chez les autres qui ne te disent même pas merci et qui te paient de trois saucisses ou de deux pommes que même les cochons n'en veulent pas des pommes, c'est pas une vie ça, lui il voulait qu'elle aille vivre chez lui et tenir sa maison et l'aider un peu dans la grange et dans les champs c'était une proposition honnête et il n'oubliait pas qu'elle sortait de la meilleure famille du village, lui, et si jamais il pouvait avoir un fils il serait bien content parce qu'il devenait vieux, mais elle, elle était

187

jeune. Voilà comment il voyait les choses, lui, et c'étaient des choses honnêtes.

Il s'est tu pour lui laisser le temps de réfléchir à ses paroles et de répondre. Au bout d'un moment, comme elle ne disait rien, il a dit :

— Écoute, Génie. Pour la petite, j'ai réfléchi. Si tu veux vraiment, elle ira à l'école. Mais ça va coûter cher.

Elle est restée un moment en silence et puis elle a dit :

— Elle aura les bourses.

et lui a dit :

— Oui. Mais les voyages, matin et soir, c'est gratuit, ça et la cantine. Moi, de mon temps, j'emportais mon casse-croûte à l'école. Maintenant il faut la cantine.

Elle a dit :

— Elle sera pensionnaire. Elle reviendra aux vacances.

Il n'a plus rien dit. Alors, moi, j'ai parlé de La Rochelle, que c'était à La Rochelle que je voulais aller et je pensais à l'océan, au jour où je reviendrais la prendre pour la mener voir l'océan et peut-être elle rirait.

Elle a dit :

— La Rochelle, c'est loin.

et moi j'y avais pensé et j'ai dit :

188

— Mais puisque je ne reviendrai qu'aux vacances.

Antoine a encore versé à boire, et le vin me tournait la tête. Il a dit, en levant son verre :

— A la tienne, Génie.

et il a bu son verre tout d'un trait. Il avait l'air tout content et elle, elle avait ses yeux vagues. A la fin, ils ont décidé que pour le moment elle irait l'aider pour le travail et après les vacances, quand je serais à La Rochelle, elle habiterait là-bas.

Et les choses ont été ainsi.

Quand il est parti, j'ai eu envie de lui dire que j'étais contente de faire des études et d'apprendre des choses sur tout, que je voulais aller à La Rochelle pour voir l'océan parce que je n'avais jamais vu l'océan, qu'un jour, plus tard, je reviendrais la prendre et que je l'emmènerais voir l'océan et les pays où les vignes grimpent dans le ciel, où les cyclamens sauvages poussent dans les bois d'acacias au bord des ruisseaux et l'on se perd sans fin à la recherche de leur parfum.

Je voulais lui dire tout cela et que je l'aimais, que je l'aimais tant, et que moi, je préférais rester pour toujours dans la vieille maison, que moi j'aimais les saules fous de vent, la colline, les renards qui aboient la nuit, que je voulais rester là pour toujours avec elle. J'avais le cœur fou en pensant à ces choses.

Je suis allée vers elle. Elle lavait les trois verres avec tout son visage loin. Elle a dit :

— Couche-toi.

Elle a fait comme elle avait dit. S'il y avait du travail chez Antoine, elle y allait et elle faisait aussi la cuisine pour lui. Le soir, elle mangeait avec lui et elle apportait à manger pour moi comme du temps où elle travaillait chez le maire. Je l'attendais très tard, assise près de la porte et j'avais peur qu'elle ne revienne pas, qu'elle décide de rester là-bas, dans une vraie maison, de me laisser seule dans la cabane sous les saules, et dans ma tête je la suppliais de revenir encore un peu avec moi.

S'il n'y avait pas de travail chez Antoine, elle continuait d'aller chez les autres. Ils lui donnaient davantage de choses, le soir. Quelquefois, même, elle rapportait de l'argent et c'est comme ça qu'elle s'est mise à acheter de vrais vêtements pour moi, pour quand je serais pensionnaire. Elle achetait les choses, elle les lavait et elle les rangeait dans la

malle ou le sac de voyage qu'elle avait achetés
aussi.

Je la regardais faire. J'aurais voulu lui dire
quelque chose parce que je comprenais bien qu'elle
pensait à moi, mais elle avait toujours son regard
loin et si je m'approchais d'elle pour lui parler, elle
disait :

— Ne reste pas dans mes jambes.

ou :

— Va te coucher.

si c'était le soir. Ou :

— Va étudier tes leçons.

cela parce qu'on avait décidé que j'irais à l'école à
la Rochelle.

Quelquefois, si elle restait longtemps sans aller
travailler chez eux, les gens venaient. Ils arrivaient
avec leur voiture dans de grands giclements de boue
assortis de jurons. Ils disaient :

— Il y a longtemps qu'on ne te voit plus, Génie
la folle.

Elle ne disait rien. Ils parlaient. Ils disaient cette
pluie qui n'arrêtait pas et comment faire le travail
quand les champs sont comme des lacs de boue,
pire même. Ils parlaient d'autres gens, du boulan-
ger qui pesait mal le pain, sur la balance il met le
pain, il ajoute un morceau, petit et sans te laisser le
temps de lire le poids il enlève le tout et personne

192

n'ose rien dire jamais, il vole, il vole sans arrêt. Ils parlaient du boucher qui vend des jambons pas chers, des jambons du pays, et tu sais de quel pays ils viennent, du Danemark, comme je te le dis, du Danemark, comme s'il n'y en avait pas, ici, des jambons du pays. Ils parlaient des autres fermes. Ils parlaient enfin d'Antoine. Il n'avait l'air de rien, comme ça, mais avec sa sœur, tu sais comment il vivait, avec sa sœur, comme avec une femme, exactement pareil et même il lui a fait un petit et tu sais ce qu'ils en ont fait, du petit, dans le fumier ils l'ont enterré, comme je te le dis et elle en est morte, on ne meurt pas pour rien. D'autres fois, on disait qu'il l'avait mis dans un vieux puisard, d'autres fois dans la terre sous un pommier. Ils terminaient toujours en disant :

— Il n'a l'air de rien, comme ça, mais il faut se méfier, les tares ça tient à la famille.

Elle ne disait rien.

Parfois, les gens qui venaient lui apportaient des choses. Des haricots secs. Des fèves et des petits pois secs ou congelés. Des choux ou des céleris. Du vin. Parfois même de vieux meubles inutilisés, tables de nuit, vieilles chaises dépareillées et dépaillées. Elle les mettait en tas derrière la maison et puis, un soir, on les brûlait parce qu'on ne pouvait rien faire d'autre.

193

Elle continuait à aller travailler chez Antoine ou chez les autres. Moi, j'allais à l'école et, le soir, j'attendais qu'elle revienne. Je me demandais comment c'était, l'océan qui rencontre la terre, comment étaient les pays où les vignes grimpent dans le ciel, où les cyclamens sauvages appellent au fond des bois d'acacias.

Ce dernier été dans la vieille maison aurait pu être plus beau que tous les autres. Le soleil et la pluie étaient juste comme il fallait et tout le monde était content, les gens, les bêtes et les plantes.

Elle allait tous les jours travailler, chez Antoine ou dans d'autres fermes. Elle partait tôt, dans les premières lueurs orangées du soleil, elle rentrait dans la nuit car elle allait chaque soir faire le repas pour Antoine et manger et elle rapportait à manger pour moi. Son visage était toujours pareil, pâle et vide.

Elle ne voulait plus que j'aille dans les fermes. Si je voulais travailler avec elle, elle disait :

— Étudie.

et je restais autour de la maison à étudier dans mes livres d'école de l'année. Un jour, j'ai pris sa flore qui était le livre que le grand-père lui avait apporté avec le lit quand elle m'avait attendue et qu'elle avait quitté la maison de la grand-mère. Il y avait dans la flore le nom des plantes de chez nous, même celles, si sauvages pourtant, de la colline aux renards. J'ai été très contente parce que c'était comme si les gens qui ont fait le livre avaient pensé à la colline et aux plantes et comme si les plantes devenaient moins abandonnées puisqu'on les connaissait et on parlait d'elles en leur donnant un nom.

Oui. Cet été aurait pu être plus beau que les autres.

Un dimanche de la fin des vacances, le grand-père est passé. Il a sorti de la musette un sac de noisettes, me l'a donné en disant :

— Mange, Marie.

Elle lavait le linge au puisard. Le grand-père est allé à elle et il a dit :

— Eugénie, petite, on dit que tu vas aller vivre chez Antoine.

Elle n'a rien répondu. Il a dit :

— Pour moi, tu fais ce que tu veux. Mais il y a ta mère.

Elle s'est alors redressée, l'a regardé en plein visage et a dit :

— Quelle mère.

et elle s'est remise à laver. Le grand-père a encore dit :

— C'est ta mère, petite. Elle t'aimait à sa façon. Moi je suis seulement venu te prévenir. Elle va venir ici, à cause d'Antoine.

Il est parti et je regardais son bâton, sa musette et son épaule sans bras.

La grand-mère est arrivée peu après. Elle est entrée tout droit dans la maison. Elle était si large, haute et pleine d'autorité qu'elle emplissait la maison. Avec son bâton, elle a désigné la vieille armoire, le lit, la table aux pieds mangés d'humidité et de vieillesse et elle a dit :

— Une romanichelle, voilà ce que tu es devenue. Tu as déshonoré la plus belle famille de la région. Et maintenant, non contente d'avoir fait une bâtarde, tu vas aller te mettre dans la famille la plus sordide du village. Mais prends garde. Tu sais comment tout le monde t'appelle, Génie la folle. Génie la folle, c'est bien trouvé. Je peux te faire enfermer à l'asile. Une folle en liberté, tout le monde la regarde. Mais une folle enfermée, on l'oublie.

La grand-mère est partie. J'avais le cœur plein d'épouvante.

La veille de mon départ pour La Rochelle, elle est restée avec moi à la maison. J'avais le cœur fou. Elle, elle avait son visage habituel, ses yeux loin. Elle a vidé la malle et le sac, a vérifié tout le linge, les vêtements, tout, a gardé une jupe plissée et un pull-over que je mettrais pour le voyage. Tout était neuf et beau. J'ai eu envie de la remercier, de lui dire que moi je préférais rester là avec elle, toujours avec elle. Mais je n'ai rien dit, je savais que ce n'était plus possible.

Le soir, on est restées devant le feu à regarder rien et je pensais à des choses. Alors, j'ai dit :

— Je voudrais savoir qui est mon père.

Elle a dit :

— Tais-toi.

mais j'ai dit :

— Je voudrais savoir puisque je vais partir et toi aussi.

Un moment elle est restée, les yeux dans le vide, ses mains vieillies abandonnées, à se rappeler des choses à elle, peut-être. Puis, elle a dit :

— C'est Ernest, le maçon.

Alors, j'ai tout compris. Soudain j'ai eu sur moi toute la vieille tristesse de la terre. Je l'ai regardée et je me suis mise à pleurer fort, à pleurer et à pleurer. Elle a dit :

— Il ne faut pas pleurer. Ce n'est pas la peine. et au bout d'un moment :

— Il n'était pas mauvais. Je ne voulais pas me marier avec lui. Alors il m'a guettée dans les sentiers. Il croyait que ça m'obligerait. C'est tout.

Je suis sortie vomir dans l'herbe. Je suis restée dans la nuit à écouter les saules, la colline et ce noir qui tombait de partout.

Elle avait dit :

— Tu reviendras aux vacances.

A Noël, je ne devais pas revenir. Le lycée fermait et moi je ne pouvais pas partir. La directrice a dit :

— Il faut partir. Le lycée doit fermer, aux vacances.

et moi :

— Ce n'est pas possible. Je n'ai pas d'argent.

Avec l'argent de la coopérative de l'école on m'a acheté le billet de train, on m'a donné l'argent pour prendre le car. Le train est resté longtemps arrêté dans la campagne et lorsque, tard, il est arrivé à la gare, tous les cars étaient partis. Puis, Pierre est arrivé et a dit :

— Je suis Pierre.

et moi :

— Je suis Marie.

Dans la nuit, il a raconté les îles parfumées de frangipaniers, l'ombre bleue des sables, les grottes aux oiseaux rouges et les jardins de pamplemousses où l'on s'endort loin au chant du vent dans les filaos des collines, les chacals qui pleurent à la lune au bord du désert.

Avant de partir, il avait dit :

— J'irai vous prendre, à La Rochelle et je vous mènerai aux îles où je suis né.

Personne ne m'attendait nulle part. Je suis allée chez Antoine pour voir si elle était là. Elle était là et mon cœur, en la voyant, s'est mis à faire le fou tant j'étais contente. Elle m'a regardée et elle a dit :

— C'est toi, Marie.

Antoine n'a rien dit. J'ai expliqué très vite pourquoi j'avais dû revenir, que ce n'était pas ma faute, qu'on voulait à tout prix fermer le lycée, à Noël, et qu'on ne savait pas quoi faire de moi, que ce n'était pas ma faute vraiment. Et puis, j'avais si froid partout, je me suis mise à pleurer. Elle a dit :

— Il ne faut pas pleurer.

et ensuite :

— Tu as bien fait de venir.

J'ai vu que ses yeux n'étaient plus aussi loin.

J'ai dit que je ne savais pas où aller parce que durant tous ces mois je pensais que peut-être la grand-mère l'avait fait enfermer, que c'étaient des choses insupportables et, dans ma tête, je me rappelais tous ces rêves que je faisais presque chaque nuit, on venait la chercher, on la mettait dans le sac de jute et on l'emportait comme ça et elle criait, moi je courais, je courais derrière elle de toutes mes petites jambes, parce que dans mon rêve j'étais toujours très petite, je l'appelais, je l'appelais et des portes se refermaient je ne la voyais plus et je restais toute seule dans des rues inconnues et elle, derrière les portes, elle criait, à cause des choses qu'on lui faisait.

Alors Antoine a dit que j'avais bien failli ne plus la revoir mais que lui il avait été plus malin que tous les autres. Parce que tous étaient d'accord pour dire qu'elle était folle et la faire enfermer, tous les gens, et ça parce qu'ils ne voulaient pas qu'elle aille chez lui, Antoine, et pour cause, une ouvrière comme ça, qu'on ne paie pas, qu'on ne remercie même pas, on n'en trouve pas à la pelle, et tu sais ce qu'ils ont trouvé, de dire qu'elle était folle parce qu'elle ne réclamait pas un vrai salaire. Et le docteur, lui aussi, il était d'accord, il ne lui a jamais pardonné l'affront qu'elle lui a fait quand elle n'a pas voulu aller travailler pour lui. Tous d'accord, ils étaient, pour dire qu'elle était folle, maintenant, tout d'un coup. Mais lui, Antoine, il les avait tous eus. Oui. Parce quand il avait su qu'elle allait avoir un petit, il avait décidé de l'épouser et maintenant, c'était lui le maître, et il aurait un fils et personne ne pouvait rien contre cela.

Il était très content. Elle, elle avait ses yeux moins vagues et j'ai compris pourquoi.

Elle ne travaillait plus dans les fermes. Chez Antoine, elle travaillait peu. Il ne voulait pas qu'elle fasse des travaux de force, ni qu'elle traie les vaches de crainte qu'une vache lui donne un coup de pied dans le ventre.

— Il en faut peu.

disait Antoine. Il suffit de tirer trop fort une tétine et la vache te donne un mauvais coup. Il voulait un fils beau et plein de santé. Il avait décidé qu'il lui donnerait le nom de son père, Louis.

Je ne suis pas allée travailler non plus chez les gens. Antoine disait :

— Ils voulaient l'enfermer pour qu'elle ne vienne pas ici.

Elle disait :

— Étudie.

et j'étudiais. Je l'aidais aussi dans la maison. Je

restais près d'elle à l'aimer en silence. Elle ne disait plus rien pour que je m'éloigne. Elle ne parlait jamais de l'enfant qui allait naître et cependant je savais bien que c'était pour lui qu'elle avait ces yeux clairs. Un jour, elle a dit :

— Quand tu es née, j'étais encore très petite.

et je me suis rappelé qu'elle avait dix-sept ans lorsque je suis née. Je me suis rappelé le maçon guettant entre les haies, et aussi comme je courais derrière elle de toutes mes petites jambes parce que j'avais peur qu'elle ne me perde, qu'elle ne m'abandonne ou simplement qu'elle ne m'oublie là.

Elle restait dans la maison d'Antoine et la maison était propre et rangée et Antoine parlait sans cesse de son fils, il l'emmènerait sur le tracteur, il lui installerait un petit siège tout exprès, ils iraient à la foire ensemble, ils s'assiéraient dans un café comme les riches et ils boiraient un verre ensemble, ils iraient aux champignons, il ferait des études et deviendrait ingénieur agronome, tel quel. Elle disait parfois :

— Il sera tout petit.

et lui :

— Ça grandit vite.

et moi j'avais le cœur plein de larmes.

Je suis allée de nouveau dans la vieille maison sous les saules. J'ai entrepris un moment d'arracher les orties surgies de terre au pied des murs et puis j'ai renoncé parce que j'ai vite eu les mains en feu et parce que j'ai pensé que sans doute elle ne reviendrait plus là et que ce n'était pas la peine. Je me suis alors amusée à suivre les sentiers des renards dans l'herbe. Ils allaient tous vers la colline de sable blanc ou vers la rivière. La colline était nue avec ses arbres nus. Je me suis demandé si les renards venaient encore aboyer autour de la maison, la nuit. Dans la maison, tout était là, le vieux lit, la table boiteuse de vieillesse, la grande armoire et la cheminée avec de très vieilles cendres. Je pensais aux temps où elle disait :

— Et moi, je n'ai rien eu.

J'ai écouté un moment la voix nue des saules dans le vent.

Lorsque je suis revenue, elle a dit :

— Il ne faut pas aller là-bas.

et puis :

— Tu es encore petite.

Alors j'ai mis mon visage dans son cou comme autrefois quand enfin elle me prenait contre elle et me parlait.

A La Rochelle, la cour de l'école était plantée de marronniers. Souvent, je montais sur le portique de la cour. Je regardais l'océan. Il y avait les marronniers et, au-delà, l'océan. Si je me couchais sur le portique, je voyais les cimes des marronniers dans le ciel et, par-delà, les eaux noires de l'océan.

Aux heures bleues de l'aube, les pigeons se posaient au bord des fenêtres et roucoulaient.

Plus tard, au printemps, les marronniers ont fleuri leurs grappes douces dans le ciel. Je pensais au paulownia de la maison de la grand-mère que je ne verrais plus. Appuyé à un marronnier blanc, un marronnier rouge fleurissait lentement ses grappes. Le jour, la nuit, le marronnier blanc berçait le marronnier rouge dans ses branches. Je regardais et je pensais à Pierre qui avait dit :

— J'irai vous prendre à La Rochelle.

je rêvais qu'il me prenait dans ses branches comme un arbre. Bien plus tard, Pierre écrivait :

— Tu es ma terre douce au bord de l'océan errant.

et il était mon océan.

Il écrivait :

— Tu es ma terre ensoleillée.

et il était mon arbre.

Au mois de juillet, lorsque je suis revenue, le petit
Louis était né depuis deux mois. Je croyais que je ne
l'aimerais pas mais je m'étais trompée. Je l'ai aimé
aussitôt comme je l'aimais elle. Je l'emmenais
partout avec moi, dans mes bras, et lui, il dormait,
tranquille, dedans aussi bien que dehors. Antoine
était déçu de voir qu'un bébé était si petit mais il se
consolait en disant :

— Il pousse vite comme un vrai fils d'Antoine.
et bientôt, il l'emmènerait sur le tracteur où il lui
avait installé le petit siège. Elle ne disait rien. Mais
dès que le bébé pleurait, elle lui donnait le sein et
tout le temps où il tétait, elle le regardait et moi je
comprenais dans ces moments-là que, quoi que je
fasse, elle et le petit Louis c'était un monde que je
n'avais jamais connu. Je n'étais pas triste parce que
le petit Louis était si petit et si beau qu'on ne

pouvait que l'aimer et se réjouir de le voir aimé et aimer.

Les trimestres se sont succédé, coupés de vacances chez Antoine, près d'elle.

Au lycée, je montais toujours sur le portique pour voir, au-delà des marronniers, les eaux vertes de l'océan. Au printemps, je me couchais sous les marronniers comme autrefois sous le grand paulownia de la grand-mère, je regardais le marronnier blanc bercer dans ses branches le marronnier rouge. Je pensais à Pierre qui devait venir me prendre et qui n'était pas encore venu.

Le petit Louis grandissait et en été il a marché. Je l'aimais et il m'aimait. Je me souviens que, les soirs, devant le soleil couchant vers lequel il tendait les mains, je lui inventais une histoire. Je lui disais :

— Je t'apporterai un grand kangourou blanc et on sautera par-dessus les montagnes à cheval sur le grand kangourou, loin jusqu'aux pays où les vignes grimpent dans le ciel et où les soleils dévorent les visages.

Le petit Louis ne comprenait pas mais il me regardait, ses yeux grands ouverts et ensuite il riait parce qu'on jouait à galope grand kangourou.

Je me souviens de ces soirs tranquilles et du petit Louis.

Ensuite, il y a eu ce Noël.

Je suis revenue et le petit Louis avait un an et demi déjà. Lorsque je suis arrivée, elle a dit :

— Le grand-père va mourir.

et aussitôt, j'ai dit :

— Je vais aller le voir.

J'ai sorti la bicyclette qui avait un petit siège derrière sur le porte-bagages. Antoine a dit :

— Emmène le petit. Montre-leur comme il est beau.

et c'était vrai qu'il était beau, mon petit frère. Il avait des cheveux noirs tout frisés et de grands yeux verts qui vous regardaient droit et surtout, il riait toujours. Il n'avait pas peur d'aller vers elle, de se jeter dans ses bras et de l'aimer. Tout ce bonheur qu'il avait à vivre lui donnait un visage heureux et des yeux heureux posés sur le monde. Moi, je l'aimais.

A peine arrivée chez la grand-mère, j'ai vu, à
cause des voitures, qu'il y avait les oncles, les
tantes, les cousins et les cousines. J'ai pensé que
c'était normal à cause du grand-père malade. J'ai
aussi pensé à la grand-mère qui dirait dès que
j'entrerais :

— Elle vient espionner.

mais je suis entrée quand même. Je voulais voir
mon grand-père qui allait mourir, mon grand-père
qui levait parfois les yeux de sur ses livres pleins de
vieux rois morts depuis toujours ou devenus fous,
personne ne savait pourquoi, et qui me donnait des
noix, des noisettes ou une pomme en disant :

— Mange petite.

et après je pouvais jeter le trognon de la pomme ou
les coquilles dans le puits de la grand-mère et c'était
inutile parce que depuis longtemps le puits ne

servait plus à rien mais je le faisais quand même.

Mais j'aurais dû fuir au lieu d'entrer. Vraiment, de toutes mes forces, j'aurais dû fuir.

Je suis entrée avec le petit Louis et j'ai dit tout de suite, pour qu'on comprenne bien :

— Je viens voir le grand-père.

La grand-mère m'a menée à la chambre. Le grand-père était dans son lit. Il a dit :

— Marie. C'est toi, petite. Je t'attendais.

et je me suis sentie pleine de bonheur.

Je lui ai dit :

— J'ai emmené le petit Louis. Il te ressemble.

et c'était vrai. Il l'a regardé et a dit :

— C'est un beau petit. Vraiment un beau petit. Tu le lui diras.

et puis il a dit :

— Laisse-le avec les cousins. Ce n'est pas un spectacle pour lui, ici.

J'ai mené le petit Louis avec les cousins, dans la grande cuisine de la grand-mère.

De la chambre, le grand-père a parlé d'elle. Elle était une bonne et belle petite fille qui chantait et riait toujours. Elle était douce et heureuse et tout le monde l'aimait sauf sa mère qui n'aimait que ses fils. Et puis ce malheur était arrivé. Mais il était content qu'Antoine l'ait emmenée chez lui et elle avait maintenant un beau petit. Moi, j'ai dit que le petit lui ressemblait et qu'elle, elle était contente, qu'elle n'avait plus ses yeux loin comme avant quand on était toutes les deux dans la vieille maison et j'ai eu le cœur fou au souvenir de tout ça. Le grand-père a dit ·

— Ne sois pas triste, Marie. Maintenant il y a le petit.

Alors, j'ai pensé à Louis que j'avais laissé avec les cousins. Je suis sortie très vite de la chambre pour aller le retrouver. Il n'était plus dans la cuisine et les cousins non plus. J'ai entendu les rires vers la cave. J'ai couru. Ils maintenaient le petit Louis sous une barrique et ils lui faisaient boire du vin sous le robinet ouvert. Dès qu'ils m'ont vue, ils ont lâché le petit Louis et se sont enfuis en laissant le robinet ouvert. J'ai pris mon petit frère, je lui ai tapé dans le dos pour qu'il reprenne son souffle. Il était inondé de vin et très pâle. Il geignait doucement.

Sur la route, j'ai pédalé et pédalé et pédalé. J'avais peur à cause du vin qu'il avait bu et parce qu'il était tout mouillé dans ce froid de Noël. En arrivant chez Antoine, je lui ai tout raconté. Elle l'a changé, réchauffé, a essayé de le faire vomir mais il n'a pas vomi. Il geignait. Il était si pâle qu'il semblait vert. J'ai dit :

— Il faut appeler le docteur.

Elle a dit :

— Il ne viendra pas.

et je me suis rappelé qu'elle n'avait pas voulu aller travailler chez lui et qu'il avait essayé de la faire enfermer. Elle tenait le petit Louis contre elle et chantait une chanson triste pour qu'il se calme et s'endorme.

J'ai repris ma bicyclette et je suis allée au village prévenir le médecin. Je lui ai expliqué que le petit Louis était très malade, qu'il devait venir vite. Il a dit :

— Ah oui. C'est le fils de Génie la folle. J'en ai entendu parler.

J'ai dit :

— C'est le petit Louis.

et de nouveau j'ai dit qu'il était très malade, qu'il fallait qu'il vienne le voir vite. Il a expliqué qu'il ne savait pas trop quand il passerait, il avait des urgences loin dans la campagne. Mais il viendrait, c'était sûr.

Je suis repartie, le cœur plein de haine. Lorsqu'il est arrivé, le lendemain, le petit Louis était mort. Il avait son petit visage couleur d'ivoire et ses cheveux noirs tout frisés en auréole. Elle continuait à le bercer dans ses bras en chantant cette chanson d'autrefois qui parle des cloches pleurant les larmes d'un enfant.

La nuit venue, Antoine a pris ses bidons d'essence et est allé brûler la maison et la grange de la grand-mère. La grange seule a brûlé. Les vaches beuglaient loin dans la campagne.

Quand on lui a ôté le petit Louis des bras pour le mettre dans le cercueil, elle est allée prendre ses chaussures du dimanche. Elle les a cirées, les a fait briller avec le chiffon de laine, les a cirées encore et fait briller. Elle a aussi repassé sa meilleure robe. Ensuite, elle s'est lavée, peignée, a mis robe et souliers. Elle s'est assise près du petit Louis, les mains dans les mains et a attendu. Si Antoine allait dans la chambre et lui disait de se reposer un peu, elle sortait, s'asseyait sur le banc devant la porte dans sa robe bien repassée et ses souliers cirés, et elle attendait.

On a enterré le petit Louis le même jour que le grand-père. Autour du petit Louis mort il y avait : Antoine, elle et moi. A la sortie du cimetière, les gendarmes attendaient Antoine. On est retournées à la maison. Elle s'est changée, a nettoyé la maison sale et désordonnée, a soigné la volaille et les vaches, comme d'habitude, exactement comme d'habitude.

Quand elle a eu fini tous ces travaux, elle a erré un moment dans la cour de la ferme et dans la maison. Elle s'est installée devant le feu, a vidé ses sabots de caoutchouc de leur paille humide. Ensuite elle a fait tremper ses pieds dans une bassine d'eau tiède avant de curer les crevasses de ses talons avec une allumette. Je la regardais et j'attendais, assise sous la cheminée. J'aurais voulu aller près d'elle, lui dire comme je l'aimais toujours, comme je l'aimais.

Mais elle avait son visage blême, si loin de tout. Elle a fait un peu de toilette, a remis sa robe du matin, ses souliers cirés et s'est éloignée vers la vieille maison sous les saules.

On l'a retirée du puisard avec un palan.

La grand-mère a dit, quand je l'ai prévenue :

— J'avais bien/raison de vouloir qu'on l'enferme.

On l'a enterrée près du petit Louis. Ce jour-là, j'étais toute seule avec elle. Pendant quelque temps, les gens du village ont un peu parlé d'elle. Ils racontaient leur histoire et terminaient toujours en disant :

— Ce n'était pas pour rien qu'on l'appelait Génie la folle.

Laissez-la dormir vous dis-je laissez-la dormir ou bien
  j'affirme que les abîmes se creuseront
Que, tout sera désormais fini entre la mousse et le cercueil...
Laissez laissez-la dormir
Laissez les grands chênes autour de son lit
Ne chassez pas de sa chambre cette humble pâquerette à demi
  effacée
Laissez laissez-la dormir.

Robert Desnos

DU MÊME AUTEUR

Aux Éditions Denoël :

LE JOUR DE CONGÉ

Impression Bussière à Saint-Amand (Cher),
le 30 octobre 1984.
Dépôt légal : octobre 1984.
1er dépôt légal dans la collection : juin 1979.
Numéro d'imprimeur : 2654.

ISBN 2-07-037114-X./Imprimé en France.
Précédemment publié par les éditions Denoël
ISBN 2-207-22257-8.

34633